Mes batailles, mes défaites et mes victoires

Salwa Abourizk

Mes batailles, mes défaites et mes victoires

LE LYS BLEU
ÉDITIONS

Préface

« Il y a quelques jours, pendant que je profitais de ma pause déjeuner pour sortir manger un sandwich à proximité de mon bureau, j'ai rencontré "par hasard" ma mère dans la rue.

Si je mets ce hasard entre guillemets, c'est parce que je crois aux rendez-vous donnés inconsciemment et involontairement.

Après avoir fini mes études à l'étranger et y avoir travaillé quelques années, j'ai fini par rentrer au Maroc pour tenir compagnie à ma mère et la soutenir dans l'éducation de mes frère et sœur, le temps que ces derniers finissent leurs études et soient autonomes.

De son côté, ma mère a emménagé dans un nouvel appartement à deux rues de mon bureau pour que nous puissions nous voir régulièrement et surtout pour qu'elle puisse s'occuper de mon fils. Elle s'est organisée professionnellement pour se libérer trois jours par semaine pour le recevoir.

Ce jour, elle se rendait à sa banque à pied pour y effectuer les virements des frais de séjour et frais de loyer mensuels de mon petit frère, étudiant à Nice.

En la croisant, j'ai donc décidé de l'accompagner.

Au retour, elle s'est soudain arrêtée et m'a demandé d'aller lui chercher d'urgence une bouteille d'eau et du chocolat. Je ne comprenais pas, mais je me suis exécuté.

Ce n'est que plus tard que je me suis aperçu que ma mère était agenouillée auprès d'un bonhomme évanoui et allongé par terre.

Ce sexagénaire avait eu un malaise vagal dû, sans aucun doute, à une hypoglycémie, et était presque inconscient.

Elle lui a prodigué les premiers secours, l'a aspergé de l'eau que je lui avais ramenée et lui a fait boire quelques gorgées d'eau. Dès qu'il a ouvert ses yeux, elle lui a donné des petits morceaux de chocolat à sucer jusqu'à ce qu'il ait pu retrouver ses esprits et recommencer à bouger ses membres.

Nous sommes restés à son chevet jusqu'à ce qu'une ambulance, que nous avions appelée, vienne l'emporter à l'hôpital. Il était rassuré de voir le visage de ma mère et d'entendre les paroles bienveillantes qu'elle lui adressait.

Cet homme avait passé une bonne demi-heure à terre sans que personne ne lui vienne en aide.

On est tellement habitués à fermer les yeux sur la misère autour de nous que je ne l'avais même pas remarqué en passant, mais heureusement pour lui, ma mère l'avait remarqué et avait pris la peine de le réanimer.

Ce petit geste anodin de bonté, d'attention, d'humanité, et d'altruisme, dont ma mère a fait preuve, a peut-être sauvé la vie à cet homme ce jour-là.

Et je suis heureux d'y avoir assisté, car même à 32 ans aujourd'hui, je continue d'apprendre des leçons de vie de ma mère.

Ce manuscrit relate quelques épisodes de son histoire. Certains sont douloureux, d'autres sont gais. Mais c'est sa vie qu'elle a menée en grande battante avec dévouement et humilité.

Elle est capable de prendre soin des humains, mais également des animaux.

Millow, le boxer de ma sœur, a dormi sur son lit, à ses pieds, durant cinq ans.

Mes souvenirs me renvoient à quelques années plus tôt, lorsque nous passions des vacances à Marrakech.

Elle avait vu un chat qui se noyait dans l'immense piscine de l'hôtel. Personne ne l'avait remarqué sauf elle. Elle l'avait sorti de l'eau, lui avait effectué un massage pour qu'il éjecte l'eau riche en chlore qu'il avait bue. Le chat était inanimé. Grâce à ce massage et à un bouche-à-bouche, le chat a repris sa respiration. Elle lui a fait boire quelques cuillères remplies de lait. Dix minutes plus tard, le chat s'est réveillé et a commencé à courir dans le jardin de l'hôtel.

Une autre fois, chez ma grand-mère, notre tante Mina a commencé à crier au feu. Tout le monde s'est enfui, mais ma mère s'est dirigée en courant courageusement vers le four qui brûlait, elle avait fermé la bonbonne de gaz et a étouffé le feu à l'aide d'un plaid mouillé. Le danger était écarté, et ma mère avait pris le risque de s'en sortir avec des brûlures de 2e ou 3e degré. Dieu merci, elle portait une veste épaisse qui l'avait protégée des flammes ardentes.

Cette histoire, que vous allez découvrir, est celle d'une femme bonne, courageuse, et d'une immense générosité de cœur et d'âme, qui donne toujours le meilleur d'elle-même pour les autres, même s'il s'agit de parfaits inconnus.

Elle était la seule à s'occuper de ses proches lorsqu'ils ont eu la Covid-19, en prenant le risque d'être contaminée par ce virus. Elle a toujours reçu des personnes malades chez elle pour s'en occuper. Elle prend toujours des nouvelles de ses enfants et de ses proches.

Cette femme a déployé des efforts surhumains pour nous élever, nous éduquer, et que nous ne manquions surtout de rien.

La première dépense à laquelle elle pense lorsqu'elle reçoit ses virements c'est d'effectuer un virement étranger à son benjamin en France.

Cette femme a déménagé pour rester proche de son fils aîné.

Elle s'occupe de son petit-fils trois jours par semaine et organise ses rendez-vous professionnels par rapport à ses journées libres.

Elle réunit toute la famille chez elle à chaque occasion depuis la mort de sa mère et fait de son mieux pour que nous restions tous unis et soudés.

Maman, tu es un exemple à suivre, je suis fier de toi, et je t'aime profondément et inconditionnellement. »

Yazid Jamal Alaoui

Préambule

Avant de vous parler de mes différentes batailles, de mes défaites et de mes victoires, je souhaiterais tout d'abord partager avec vous quelques-unes de mes pensées les plus secrètes qui animent ma motivation et orientent mes pas dans la vie.

Il est évident que mon parcours assez exceptionnel m'a permis de grandir, et ce dans tous les sens du terme.

Cependant, au cours de ce parcours, j'ai rencontré plusieurs personnes, différentes les unes des autres.

Certaines d'entre elles m'ont beaucoup aidée à grandir. D'autres m'ont permis de comprendre que la vie les a mis sur mon chemin pour que je les aide à grandir.

Une minorité parmi ces personnes rencontrées n'avait rien compris au but recherché par notre passage sur terre et avait continué à errer, cherchant inlassablement la vérité et le bonheur absolus.

Loin de moi l'idée d'être manichéiste, néanmoins, en observatrice attentionnée et en mentor de plusieurs personnes autour de moi, j'ai pu porter mon regard sur l'évolution de ces personnes en méditant longuement sur la grandeur et la puissance de Dieu face à la petitesse et l'insignifiance de l'être humain.

Lors de cet instant de grande connexion avec l'univers et avec la lumière divine, j'ai pu écrire ce texte que je partage ci-dessous avec vous.

Ce texte intitulé « Grandir », tiré de mon blog, pourrait éventuellement vous inviter à emprunter les voies les plus saines pour grandir.

Nous avons souvent entendu nos parents nous dire : « Mange ta soupe pour grandir » ou « Bois du lait pour grandir » ou « Va faire tes devoirs pour réussir et pour grandir » ou « Mange des fruits et légumes pour grandir » ou encore « Joue au basket-ball pour grandir ».

Le verbe grandir dans ces cas précis a souvent été assimilé à la notion de hauteur (taille) ou à celle du nombre d'années (l'âge).

Hélas, dans toutes ces belles et bienveillantes phrases, en aucun moment, on n'a fait allusion à la notion d'élévation, de maturité, de grandeur par les coups durs de la vie.

On ne nous a pas préparés à encaisser les coups durs de la vie.

La vie et ses déboires ne sont-ils pas une grande académie d'apprentissage et de croissance ?

Grandir, à mon sens, c'est devenir responsable de soi, de sa vie, de sa santé, de sa carrière, de son futur, de ses projets de vie, de sa sexualité, de ses choix, de ses activités physiques, intellectuelles, artistiques, associatives... etc.

Grandir c'est savoir aimer sans étouffer les êtres chers.

Grandir c'est savoir donner sans attendre de retour.

Grandir c'est continuer à s'occuper de ses parents, continuer de les aimer, de les dorloter, mais en coupant le cordon ombilical et cesser cette dépendance affective pour vivre en toute autonomie sa propre vie.

Grandir c'est savoir vivre loin d'eux en développant une belle responsabilité des choix divers et des moyens de subsistance personnels.

Grandir c'est savoir inculquer à ses enfants les bonnes valeurs, la connaissance, le savoir, le savoir-être, le savoir-vivre, le savoir-faire, sans les asphyxier.

Grandir c'est les responsabiliser, leur procurer leur autonomie et les laisser effectuer certains choix de leur vie afin de leur offrir l'opportunité de grandir à leur tour d'une manière saine.

Grandir c'est savoir faire le deuil de toutes les personnes proches décédées et se dire que, finalement, c'est la loi de la vie, et que la mort est la continuité de la vie dans un autre monde et une autre dimension du temps et d'espace. Grandir c'est savoir leur dire au revoir au moment opportun.

Grandir c'est savoir se passer momentanément ou ad vitam aeternam de certains conforts de vie et de certains aspects ostentatoires.

Grandir c'est contempler l'univers et d'avoir l'humilité de reconnaître sa petitesse dans cette magnifique immensité.

Grandir c'est accepter nos propres limites lorsque nous avons puisé et extrait de nous nos ressources les plus internes afin de les exploiter.

Grandir c'est admettre qu'à un moment donné nous ne pouvons plus rien extraire et que nous devons lâcher prise et laisser l'univers et ses magnifiques créatures visibles et invisibles nous apporter leur inconditionnel soutien.

Grandir c'est accepter certaines fatalités qui nous sont imposées par la vie.

Grandir c'est apprendre à accepter certains échecs et les utiliser comme tremplins pour de prochaines réussites.

Grandir c'est pratiquer la gratitude même lorsque nous détenons peu de choses.

Grandir c'est savoir remercier Dieu ou la source originelle de l'air que nous respirons, de l'eau que nous buvons, de la nature qui nous offre de quoi nous nourrir…

Grandir c'est de savoir partager avec autrui diverses choses matérielles ou immatérielles, estimables ou inestimables, monnayables ou non.

Grandir c'est pouvoir s'accepter, savoir s'aimer et s'occuper de sa personne comme si c'était un bébé. Grandir c'est savoir sourire aux autres même lorsque le cœur est blessé et que la tristesse nous envahit.

Grandir c'est admettre que Dieu est notre unique créateur, que nous sommes à lui et à lui nous retournons.

Grandir c'est prendre conscience que l'être humain, aussi extraordinaire soit-il, n'est pas l'unique créature créée par Dieu.

Grandir c'est accepter de partager en toute humilité cet univers avec toutes les créatures de Dieu visibles et invisibles.

Grandir c'est percevoir l'imperceptible grâce à son aura et à son troisième œil.

Grandir c'est s'en remettre à Dieu et aux créatures de lumière en demandant toujours leur aide pour une élévation de notre conscience et de notre taux vibratoire.

Grandir c'est savoir apporter de la bienveillance autour de soi par un geste apaisant, une caresse affectueuse, ou une parole réconfortante, ou un acte tendre et concret.

Grandir c'est savoir offrir inconditionnellement ce qui ne pourrait s'acheter tels que l'amour, la tendresse, l'amitié, la générosité…

Grandir c'est pouvoir faire don de soi, offrir son temps, son énergie, son savoir, son savoir-faire et d'autres moyens financiers ou autres au profit des malades, des nécessiteux, des orphelins, des migrants, des mendiants…

Grandir c'est comprendre enfin que chacun de nous a une mission sur terre qu'il doit honorer avec humilité et dévouement, et ce dans un délai déterminé.

Grandir c'est prendre conscience que nous sommes responsables de notre mère Nature et que nous avons l'obligation de la préserver.

Grandir c'est aussi prendre conscience du patrimoine culturel que nos ancêtres nous ont légué et que nous avons l'obligation morale de le transmettre aux générations futures.

Grandir c'est reconnaître sa grande responsabilité à être un ambassadeur de son pays et le représenter dignement aussi bien localement qu'à l'étranger.

Grandir c'est aussi savoir sauvegarder l'enfant qui est en nous et le laisser s'exprimer de temps à autre, car c'est lui qui nous permettra de réaliser nos rêves, de vivre nos passions et d'égayer notre vie.

Grandir c'est aussi savoir utiliser un brin de folie de temps à autre pour colorer sa vie et lui apporter de la nouveauté et de diversité.

Grandir c'est savoir faire la part des choses, savoir doser le plaisir, savoir s'imposer certains freins, savoir s'accorder certaines dérogations, et savoir instaurer des normes et les respecter.

Grandir sous-entend cultiver les pensées positives, chasser les négatives, agir au moment opportun, s'abstenir au moment opportun et trancher lorsqu'il le faut.

Grandir c'est pouvoir dire « non » lorsque la tentation nous titille et que la raison nous freine.

Grandir c'est savoir écouter son intuition, ses guides spirituels, ses anges gardiens et les archanges qui nous dictent intérieurement et avec bienveillance les choix à faire.

Enfin, grandir c'est savoir aussi lâcher prise lorsque notre corps et notre cerveau nous envoient des signaux de fatigue, voire de détresse.

Ainsi est ma philosophie de la vie. C'est une succession d'opportunités pour grandir. J'ai pu le faire, parfois seule et parfois entourée de mes enfants, de ma famille, de mes amis, de mes confrères et consœurs.

J'espère également avoir été présente pour certains d'entre eux pour les aider à grandir et à gagner en maturité.

En toute humilité et avec ma plus grande gratitude, je tiens à remercier chaleureusement toutes les personnes qui m'ont accompagnée dans ma quête du sens en fonction de mes aspirations dans cette époustouflante vie et dans la réalisation de tous mes projets.

Quelle que soit leur contribution, d'ordre amical, émotionnel, financière, organisationnel, communicationnel... j'ai pu, grâce à leur soutien, grandir et gagner en sagesse.

En tête de liste, je citerai tous mes frères, sœurs, beau-frère, belles-sœurs, ex-conjoints, enfants, belle-fille, gendre, petit-fils, neveux, nièces, cousins, cousines, amis, confrères, consœurs...

Ils étaient là à chaque moment que je tombais. Ils m'ont aidée à me relever.

Ils étaient là pour me soutenir, me remonter le moral, me sermonner, me donner des conseils et me faire part de leurs suggestions...

Leurs critiques positives ou négatives m'ont également aidée à revoir mes choix, mes décisions, à rectifier mes comportements et attitudes et à continuer mes diverses missions sans abandonner ni abdiquer. Grâce à eux, mon mindset était constamment en croissance pour le plus grand bien de mon équilibre professionnel et personnel.

Sans leur présence dans ma vie, je n'aurais, sans aucun doute, jamais pu évoluer et grandir comme je l'ai fait.

Chapitre 1
Ma belle bataille pour une belle prise de conscience

Depuis ma conception dans le ventre de ma mère Rabia Sebti, que Dieu ait son âme en sa sainte miséricorde, et depuis ma naissance le 23 mars 1965 vers 19 h 30 à Casablanca, j'ai mené des batailles très acharnées.

Toutes ces batailles furent captivantes, fougueuses et parfois très douloureuses, voire déchirantes.

Mais tel que la nature m'a conçue, battante jusqu'aux bouts des ongles, je ne pouvais pas m'abstenir de lutter, de sauver ma peau et de protéger ceux qui sont chers à mon cœur.

Ces batailles étaient animées par divers stimuli, parfois en rapport avec mon tempérament de femme battante, parfois en rapport avec mes valeurs et mes principes, parfois en rapport avec mes passions, parfois en rapport avec les codes sociaux, parfois en rapport avec les usages et les coutumes de notre pays, parfois en rapport avec ma culture arabo-musulmane, parfois en rapport avec mon ouverture d'esprit…

Quelle que soit la nature de ces batailles, je ne m'estimais jamais perdante.
J'étais toujours gagnante, ne serait-ce que par les enseignements tirés.

Chaque épreuve, aussi douloureuse fut-elle, me rendait plus forte et plus motivée à me battre davantage pour atteindre mes objectifs fixés ou pour changer de cap parfois lorsque c'était nécessaire.

Au fil des années, c'était devenu un jeu et surtout une compétition que je menais avec un esprit sportif.

Mes victoires ne se matérialisaient pas uniquement par un gain de cause, mais également par un grand apprentissage, une expérience apprenante et enrichissante et un mûrissement profond.

À l'instar du vin qui se bonifie avec l'âge, je me bonifiais grâce aux diverses expériences et aux batailles menées.

Je grandissais alors et cela remplissait mon cœur de bonheur.

Les dégâts pouvaient être parfois très importants. Ils étaient d'ordre financier, émotionnel ou structurel. J'avais développé une carapace assez solide pour encaisser les coups de la vie.

Ma carapace de langouste durcissait de plus en plus avec les dégâts émotionnels. Mais je restais au fond de moi cet être sensible, tendre et vulnérable en quête d'amour et de lumière.

En revanche, malgré les diverses batailles parfois sanglantes, ma foi en Dieu ne cessait de s'amplifier.

Dans ma tête résonnait toujours une petite voix qui me disait : « Dieu est omniscient (Il sait tout), Dieu est omniprésent (Il est partout), Dieu est omnipotent (Il est puissant et s'il veut réaliser quelque chose, il le fait). »

Dieu a donc toujours été mon coach, mon mentor, mon superviseur, mon éclaireur, mon guide spirituel, ma source d'énergie, ma force…

Je n'avais jamais d'ailleurs compris le mode de réflexion des personnes athées ou agnostiques.

Par ailleurs, mon ouverture d'esprit ne me permettait pas de les juger.

Je priais pour elles, en cachette, pour qu'elles retrouvent la voie de la lumière divine.

Dieu avait ainsi choisi de me faire vivre certains événements.

En croyante assidue, j'acceptais mon sort avec résilience et je le remerciais de sa présence et de son aide bienveillantes.

En faisant face à mes péripéties avec courage et persévérance, je me battais tel que ce surfeur qui est pris au piège de cette gigantesque vague qu'il n'arrive plus à maîtriser. Il se débat, emporté par ces flots puissants d'eau de mer, s'accroche inlassablement à sa planche de surf, résiste à la pression de la mer, essaie de reprendre le contrôle, n'abandonne pas, jusqu'à ce qu'il soit expulsé par le courant sur le rivage ou courageusement arrive à sauter encore une fois sur sa planche et surfer sur une vague plus puissante.

Le surf est la meilleure métaphore que j'ai pu vous offrir pour qualifier ma vie.

D'autant plus que ma défunte mère ne cessait de nous répéter : « Lorsque vous voyez une vague gigantesque en face de vous, baissez la tête, acceptez son creux, prenez des risques et acceptez de prendre des coups, saisissez ces petits moments de bonheur et d'excitation offerts par cette décharge d'adrénaline, nagez comme un dauphin avec élégance et harmonie, évitez les requins, positionnez-vous face à l'adversité, allégez votre corps de tout ce qui peut alourdir, croyez en vous et laissez la vague passer. »

Que de métaphores, que de citations, que de proverbes arabes j'avais appris avec ma défunte mère. J'adorais l'écouter parler. Sa sagesse avait une pointe d'humour et cela me divertissait beaucoup de l'écouter parler et surtout donner son point de vue qui, comme pour toutes les mères fortes de personnalité, devait être considéré comme un ordre et non une simple suggestion.

J'ai toujours su que ma vie n'était pas banale.

Aussi, pour tout l'or du monde, je ne l'échangerai avec personne d'autre.

Elle est riche, trépidante, fougueuse, mouvementée, parfois par des événements agréables, parfois par des moments difficiles, mais elle était et est toujours très inspirante.

À chaque fois que je pense à toutes mes batailles menées, je me félicite personnellement d'avoir eu le courage de tenir bon, de ne pas avoir fléchi ni succombé à une dépression nerveuse ou à toute forme de laisser-aller ou d'addiction.

La seule fois où j'ai pris un antidépresseur, ce n'était nullement pour faire face à une dépression nerveuse, mais plutôt pour maigrir.

On m'avait dit que le Prozac était un excellent coupe-faim. Après mes trois accouchements, je souhaitais retrouver mon corps de jeune fille.

Je l'ai pris durant trois mois. J'avais ressenti au début les effets bénéfiques de la sérotonine. Mon humeur était agréable. Mais au fil des jours je me sentais survoltée. Je vibrais de la tête aux pieds.

C'était une agréable expérience : je dansais partout : dans ma salle de bain, dans ma voiture, au bureau… Mais prenant conscience que je devenais trop speed pour mon âge, ma situation familiale et professionnelle, il m'a bien fallu l'interrompre.

Mon humeur s'était équilibrée et les quelques kilos perdus durant le traitement étaient récupérés. Et comme dans le jeu Monopoly, j'étais retournée à la case « Départ ».

Néanmoins, ma grande prise de conscience s'est déclenchée subitement suite à une visite chez un thérapeute énergéticien M. M. B.

À l'âge de 55 ans, et en pleine période de confinement suite à la pandémie de la Covid-19 que nous vivions dans le monde entier, je me sentais vidée de mon énergie vitale. Je n'avais aucune force de pratiquer mon sport, d'aller travailler, de rencontrer du monde, en deux mots, de vivre tout simplement.

Enfermée chez moi, éloignée de ma fille Hasnaa qui vit à Marbella et de mon fils Amine qui vit à Nice, éloignée de ma famille et de mes amis, je me sentais telle que ce cadre de Fedex, Chuck Noland, qui, en sillonnant le monde à bord d'un petit avion fut victime d'un crash au-dessus de l'Océan Pacifique.

Agrippé à un radeau de sauvetage, Chuck s'était échoué sur une île déserte. Pendant quatre ans, le naufragé avait tenté de s'adapter à cet environnement sauvage en surmontant l'épreuve terrible de la solitude.

Ce film avec l'acteur Tom Hanks dans le rôle principal m'avait beaucoup émue.

C'était d'ailleurs un des rares films qui prouvait que nous pouvons changer de personnalité suite aux événements vécus : de Travaillomane acharné souffrant d'alexithymie (absence d'émotions), il est devenu un empathique extraverti qui s'émeut de tout ce qu'il vit.

Comme lui, je me sentais seule au monde.

Je savais que ce n'était pas une dépression nerveuse, car je n'en avais pas les symptômes les plus classiques. Je n'avais pas de pensées négatives ou suicidaires, je mangeais normalement et je dormais quelques heures par nuit.

J'étais tout simplement asthénique. Je voulais rester au lit, me reposer, bouquiner ou regarder la télévision.

Ma seule distraction ou addiction du moment était de défiler l'écran de mon smartphone et de naviguer de page en page, de réseau social en réseau social en visionnant toutes les vidéos donnant des informations sur la situation de la pandémie dans le monde.

J'avais fait un bilan sanguin qui révélait que tout était normal sauf le taux de ferritine et de vitamine D qui était légèrement inférieur à la norme. Chose qui était normale, car je venais de me faire enlever mon stérilet et j'étais déjà en période de préménopause.

J'avais donc fait une cure de fer et j'ai pris les ampoules de vitamine D3 forte.

Ainsi, théoriquement, tout devrait rentrer dans l'ordre.

Mon état d'épuisement et d'affaiblissement de mon corps m'inquiétait et je devais prendre ma santé au sérieux, car habituellement je suis de nature gaie, j'aimais sortir, rencontrer les gens, travailler, chanter, danser, rire et croquer la vie telle une belle pomme.

J'étais lasse et j'avais besoin d'un repos physique, mais également d'un repos psychique.

Et lorsque je voyais mon amie Amina aller au club de sport tous les jours, ou je voyais mon frère Hicham et sa femme Salwa participer à des marathons nationaux et internationaux, je m'inquiétais encore plus sur mon état léthargique.

Certes, j'avais malmené mon corps en pratiquant durant des années des heures de fitness et de natation. Je me suis fait des massages amincissants douloureux durant des dizaines d'années à raison de trois massages par semaine.

J'avais également pendant deux ans pratiqué des soins du corps et du visage chez une amie, le Dr A. A. G. spécialisée en médecine anti-âge.

Néanmoins, j'avais également fatigué mon cerveau à force de réfléchir, de chercher des solutions à mes problèmes et à tout vouloir contrôler tout en gardant fièrement la tête haute.

Depuis que j'ai quitté Tanger en juin 2012 et je suis revenue m'installer avec mon fils Amine à Casablanca, j'ai vécu un tsunami émotionnel, financier et organisationnel.

Moi qui suis Coach professionnel en développement personnel et consultante connue sur Casablanca, j'avais besoin d'une béquille sur laquelle m'appuyer pour continuer mon itinéraire. J'avais besoin d'une aide qui me booste et qui me rende ma joie de vivre.

Je connaissais tous les psychiatres et psychothérapeutes de Casablanca, mais je savais que je n'en avais pas besoin, car je ne me sentais pas instable ni souffrante d'une quelconque pathologie psychiatrique.

Ça m'arrivait d'ailleurs de consulter le DSM IV, ce manuel qui répertorie toutes les pathologies psychiatriques. Le consulter me permettait de diriger, certains clients en coaching souffrant d'une quelconque pathologie psychiatrique qui nécessite une prise en charge médicamenteuse, vers un psychiatre de sa ville.

Donc sachant reconnaître les symptômes de la dépression nerveuse, de plusieurs névroses et de plusieurs psychoses, il fallait donc que je dirige mes investigations ailleurs pour retrouver la cause de la perte de mon énergie vitale et par conséquent y remédier le plus rapidement possible par tout procédé naturel et non chimique.

De nature, je n'aime pas les médicaments et je préfère recourir à la phytothérapie, à l'aromathérapie, aux thérapies brèves, aux différentes variantes de la médecine chinoise…

En plaisantant avec ma sœur Wafaa médecin généraliste à Casablanca, elle me demandait ce dont j'avais besoin. Je répondais en riant : j'ai besoin de deux millions de dirhams dans mon compte pour éponger toutes mes dettes et je volerai comme un oiseau dans les cieux.

Je voulais également comprendre pourquoi malgré mon alimentation saine et équilibrée et mon mode de vie relativement hygiénique, je n'arrivais pas à perdre mes kilos accumulés au fil des années.

J'ai commencé par prendre rendez-vous chez une kinésithérapeute pour une séance de cupping thérapie avec saignée, technique ancestrale appelée en arabe, hijama. C'était une expérience agréable. Il fallait que je la renouvelle tous les trimestres.

Cette technique ancestrale, pratiquée en Égypte, dans tous les pays du Moyen-Orient et aussi par les Chinois, a été reconnue en 2004 par l'Organisation mondiale de la santé comme thérapie guérissant certaines maladies, dont l'asthme, le diabète et l'acné. Elle permet de réguler la tension artérielle, de normaliser le taux de globule blanc et aussi d'éliminer les enzymes cardiaques.

Par ailleurs, la hijama augmente le taux de fer dans des proportions normales et le taux de cortisone naturelle, diminue le mauvais cholestérol, soulage plusieurs types de douleurs, traite le psoriasis et les hémorroïdes. Selon l'OMS, cette thérapie non conventionnelle normalise donc tous les excès, épure le sang et permet de pallier certains manques de l'organisme. Favorisant ainsi la circulation sanguine et lymphatique dans le corps, elle est devenue courante chez les athlètes et les artistes du monde du showbiz.

Ainsi dans mon cas, elle était recommandée. Mais, je devais m'engager à avoir des séances trimestrielles régulières et à éliminer la consommation des protéines durant les quarante-huit heures qui suivaient la séance pour profiter d'une manière optimale de ses bienfaits.

J'avais également pris un forfait de quelques séances chez un jeune maître Reiki qui m'avait fait des séances de Reiki, de la cupping thérapie sèche, de l'acupuncture et du Huo Liao une thérapie chinoise par le feu qui consiste à poser sur le corps une serviette imbibée d'alcool, de l'enflammer pour que la chaleur soigne les parties douloureuses. Il est évident qu'un isolant est placé sur le corps pour que la peau ne se brûle pas. Ce fut également une belle expérience. Mais je n'avais pas constaté d'amélioration.

Je continuais mes séances de massages manuels amincissants, de massages aux pierres balsamiques chaudes, de massages aux huiles essentielles...

Et malgré toutes ces techniques importées de l'Asie, je n'arrivais toujours pas à retrouver mon punch.

Je taquinais mon frère Hicham, importateur de plusieurs types de machines de Sport en lui proposant de me trouver une machine qui me fait faire du sport en restant allongée sur mon lit. Lui et sa femme Salwa qui sont de très grands sportifs ne comprenaient rien à ma sédentarité et à mon manque de motivation pour bouger.

J'avais donc pris rendez-vous chez un thérapeute énergéticien dont j'ai trouvé les coordonnées sur Facebook. J'y suis allée un jeudi matin.

Il m'avait reçue cordialement dans son cabinet sis sur le boulevard Bir Anzarane à Casablanca.

Il était empathique et d'une belle écoute.

Nous avions eu un très long échange durant deux bonnes heures de discussion en rapport avec mon vécu, les causes incomprises de mon embonpoint, mes calvaires vécus...

Au bout d'une heure, il m'avait annoncé que mes angoisses étaient héritées de ma mère et que cette dernière avait vécu pendant qu'elle était enceinte de moi, une très forte épreuve qui l'avait épuisée.

Ce fut une curieuse découverte, car à cette époque, je ne pouvais pas deviner qu'un thérapeute énergéticien pouvait avoir des dons médiumniques.

Une fois la séance de soins énergétiques par passes magnétiques et sonothérapie avec le bol tibétain terminée, je me suis sentie relaxée.

J'ai remercié ce thérapeute et lui ai promis de revenir chez lui pour une prochaine séance.

En sortant de ce cabinet, j'ignorais que cette séance allait être le catalyseur d'une longue série de soins et d'investigations sur mon état émotionnel et énergétique.

En réfléchissant à mes échanges avec ce thérapeute, je me suis souvenue que ma mère me disait qu'elle aurait souhaité ne pas avoir autant d'enfants et que les deux dernières grossesses étaient des accidents de parcours.

Nous étions une fratrie de six frères et sœurs.

Après avoir eu ses trois premiers garçons, elle désirait vivement avoir une fille et s'arrêter.

Je comprends parfaitement son calvaire : élever quatre enfants n'était pas une tâche facile. D'autant plus, qu'à l'époque, il n'y avait pas encore d'appareils électroménagers sophistiqués pour lui faciliter la tâche.

Sa seule aide était Mina, une jeune fille qu'elle avait adoptée. Mi-ange, mi-humain, Mina a toujours été notre grande sœur, notre nounou, notre deuxième mère. Elle aidait ma mère à prendre soin de sa maison et de ses enfants.
Elle était jolie, gentille et très généreuse. L'avoir parmi nous était une grande bénédiction.

Comme il n'y avait pas encore de moyens de contraception à l'époque, malgré toutes les précautions prises par mes parents, j'ai été conçue grâce à la volonté divine et je suis née ce fameux 23 mars 1965.

Ma mère était stupéfaite de cette grossesse d'autant plus que mon père avait eu quelques mois plus tôt un kyste bénin dans l'un de ses testicules et s'était fait ôter, par précaution, sa bourse droite par un chirurgien.

Je vous confie avec la plus grande sincérité que cette histoire faisait rire tous les membres de ma famille qui m'avait vite trouvé un surnom comique qui rimait avec mon prénom. J'étais la Sliwa... Je laisse votre imagination féconde trouver le complément de mon surnom.

En revanche, je prenais les choses positivement, car je me considérais comme le miracle né d'un seul testicule. Je faisais partie de la sélection qualitative de la vie.

La dérision nous aide parfois à affronter courageusement les affres de la vie.

Je répétais plus tard à mes cousines dans des éclats de rire : voyez-vous ce que mon père, l'homme dans le vrai sens du terme, a pu faire avec un seul testicule ?

Merci, mon Dieu, de m'avoir donné cette chance de naître dans cette famille et de leur avoir apporté ma joie de vivre et ma bienveillance.

Ce fut alors, ma première bataille menée avec courage et bonne volonté et qui fut couronnée par une victoire fêtée en grande pompe ce fameux 23 mars 1965.

Je vous en parlerai plus en détail ultérieurement.

Le samedi suivant cette séance chez le thérapeute énergéticien, comme à l'accoutumée, et pour animer la discussion lors du repas familial, que nous avions l'habitude de prendre régulièrement au domicile de ma défunte mère et qui était concocté avec amour par notre dévouée Sœur adoptive Mina, j'ai raconté à mes frères et sœur, mon expérience chez ce thérapeute.

En citant les propos de ce dernier, mon frère aîné Lotfi me rappela que lorsque ma mère était enceinte de moi de quelques mois, elle avait perdu subitement son jeune frère Abdelouhab suite à un accident tragique sur la route le menant à la ville de Saïdia où il résidait.

Âgé de 27 ans, il avait laissé une jeune veuve d'une vingtaine d'années et deux orphelins de 4 et 2 ans.

En apprenant la nouvelle, ma mère fut sous le choc et avait fait plusieurs crises d'hystérie. Des manifestations émotionnelles et physiques allant de l'agitation à la perte de connaissance se succédaient.

Oubliant qu'elle avait un fœtus dans son ventre, elle s'était mise dans tous ses états : elle pleurait sans cesse, malmenait son corps et mon corps frêle dans son ventre…

Dieu, mes anges gardiens et le liquide amniotique étaient là pour me protéger des chocs reçus.

De toute évidence, la providence a voulu que je naisse et que je vous raconte cinquante-sept ans après ce récit.

C'était donc ma deuxième bataille menée également avec succès.

Mon Frère me racontait que notre mère après son accouchement, exactement vingt-cinq jours après ma naissance, perdit son père qu'elle vénérait.

Donc mon grand-père Mhammed Sebti décéda.

N'aurait-il pas pu attendre encore quelques mois avant de tirer sa dernière révérence ?

Il fallait que j'encaisse encore les pots cassés de ce deuil.

C'était une légende dans la famille de ma mère. Un homme bienveillant et généreux pour tous et un ami inconditionnel de mon père. Il jouait avec lui tous les soirs aux échecs. Il l'avait vite adopté et considéré comme l'un de ses fils. Mon père le considérait comme son père.

Ma mère me racontait que son père avait tellement été charmé par mon père qui fut un bel homme, élégant, intègre et avec de très bonnes manières, qu'il avait annulé ses fiançailles avec un autre homme pour lui donner la main de ma mère. De plus, il l'avait aidé financièrement pour acheter de beaux cadeaux à ma mère pour l'impressionner et impressionner la famille.

Qu'il repose en paix !

Heureusement que j'étais déjà née, sinon, ma pauvre mère m'aurait encore affligée d'autres crises d'hystérie et d'autres coups. Mon père, très peiné par ce décès, s'était occupé des funérailles avec mes oncles.

Et la bénédiction divine a voulu que Mina soit présente pour veiller sur moi.

Ma mère étant complètement « hors service » ne pouvait ni m'allaiter au sein ni s'occuper de moi.

J'ai donc subi un sevrage imposé par les épreuves de la vie et ce fut ma troisième bataille dans ce monde.

Il est certain que mes guides spirituels veillaient sur moi et me soufflaient des inspirations positives pour que je puisse vivre, grandir et me protéger.

N'avaient-ils pas légèrement abusé de leurs affirmations positives au point de favoriser les surcharges graisseuses et de faire de moi une deuxième Xena La Guerrière ?

Trêve de plaisanterie, je profite d'ailleurs de ce récit pour les remercier chaleureusement de m'avoir accompagnée durant toute ma vie et jusqu'à ce jour.

D'ailleurs, c'est sur leur Conseil que je me suis enfin décidée à écrire ce récit autobiographique. Ils m'ont précisé que l'écriture était – telle une catharsis – libératrice et qu'elle pouvait me soigner de mes blessures émotionnelles et par là même de mes kilos émotionnels.

En lisant le livre de Lise Bourbeau « Les cinq blessures qui empêchent d'être soi-même », j'ai pris conscience que j'ai vécu depuis ma naissance toutes les blessures décrites dans ce livre en l'occurrence, le rejet, l'abandon, l'humiliation, la trahison et l'injustice.

Merci maman, merci la vie.

Aujourd'hui, avec cette prise de conscience, je me trouve renforcée, consciente de mes forces et de mes faiblesses, acceptant mes défaites, heureuse de mes victoires et sereine face à l'avenir.

Tout au long de ce chemin de guérison que j'ai entamé depuis déjà quelques années, ma satisfaction est immense, car j'estime que quelques soient les dures épreuves vécues, elles m'ont forgée, m'ont fait avancer sur mon chemin vers une belle spiritualité et une grande sagesse.

C'est toujours dans un esprit de partage que je vous raconte avec de belles émotions les détails relatifs à mes quelques batailles que j'ai menées avec résilience grâce à ma foi en Dieu.

Par respect pour certaines personnes et toujours dans un esprit de bienveillance, j'ai dû changer leurs prénoms.

Le but de ce récit n'étant pas de dénoncer des comportements ou de condamner certaines personnes qui m'ont porté, volontairement ou involontairement, consciemment ou inconsciemment, préjudice dans ma vie.

Le but recherché n'est surtout pas de me victimiser.
J'ai dépassé ce stade. Aujourd'hui, j'observe mon vécu comme si mon âme effectuait un voyage astral hors de mon corps et visionnait un film de ma vie dans lequel on m'avait attribué le rôle principal.
Ce panorama m'amuse et me flatte également.

L'objectif de ce livre est de partager avec vous quelques batailles douloureuses et d'autres réjouissantes, mais toutes très constructives.

Peut-être que grâce à mon vécu, vous pourriez éviter les mêmes erreurs que j'ai commises en effectuant certains choix et en optant pour certaines décisions.

Ma vie truffée de batailles serait pour certaines personnes un bel exemple de courage, de résilience et de motivation pour continuer de se battre jusqu'à la délivrance divine.

Il est certain que d'autres personnes me jugeront et penseront que je fus responsable de mes choix.

En effet, elles n'auront pas tort.

J'assume mes choix et leurs conséquences.

À cet effet, je tiens à remercier toutes les personnes qui ont joué un rôle important ou secondaire dans ma vie.

Qu'elles aient été bienveillantes ou malveillantes, peu importe, elles étaient destinées à me rencontrer et à partager avec moi quelques moments de cette vie trépidante, imprévisible et riche en stupeurs et rebondissements.

Malgré le fait que je ne rencontre plus de nos jours, certaines personnes parce que le destin nous a séparés ou parce qu'elles ne font plus partie de ce monde et qu'elles nous ont quittés pour un monde meilleur, mais je tiens à préciser à tous les lecteurs de ce livre, que j'ai eu et je garde toujours beaucoup d'amour et de tendresse pour toutes ces créatures rencontrées dans ma vie.

J'entends par créatures, non seulement des êtres humains, mais également les animaux que j'ai eus dans ma vie comme Kiwi et Millow, ces deux magnifiques chiens qui ont rempli ma vie de bonheur et aussi d'autres serviteurs de Dieu qui nous entourent, nous protègent avec bienveillance sans que nous les voyions.

J'ai toujours ressenti la présence de ces soldats de Dieu, invisibles, discrets, mais protecteurs et nourriciers qui m'ont toujours protégée et guidée vers les meilleurs choix.

Pour terminer ce premier chapitre, je tiens à les remercier toutes et à leur préciser que je pardonne avec une grande humilité leurs actions, comportements, attitudes, paroles, gestes, pensées désobligeantes m'ayant blessée.

Dieu est clément et miséricordieux.

Je souhaite le rencontrer un jour, avec un cœur rempli d'amour et de paix et en ayant la conscience tranquille vis-à-vis de toutes ces personnes.

Nous ne pouvons percevoir cet amour inconditionnel de notre Divin dans l'au-delà que si nos cœurs sont vidés de tous les émotions et sentiments négatifs.

Le pardon est donc salutaire et libératoire.

Chapitre 2
Trouver ma place dans une fratrie de six enfants

Comme je vous l'ai précisé dans le préambule, je suis née le 23 mars 1965.

Ce jour n'était pas un jour ordinaire au Maroc et spécialement à Casablanca.

Ce jour a été marqué par des évènements sanglants.

Au début, il s'agissait de quelques protestations de rue dans plusieurs villes du Maroc ayant pris source à Casablanca.

Il s'agissait à l'origine d'une contestation estudiantine, qui s'était ensuite étendue aux franges défavorisées de la population. Le bilan de cette journée est très contesté : les autorités marocaines l'évaluent à une dizaine de morts. Par contre, la presse étrangère et L'**Union nationale des forces populaires** – Parti politique marocain – le chiffrent à plus de 1 000 morts– et plusieurs centaines de blessés.

La veille de ma naissance, c'est-à-dire le 22 mars 1965, des milliers de lycéens se sont retrouvés sur le terrain de football lycée Mohammed V. Vers 10 heures du matin, ils étaient déjà très nombreux (15 000 étudiants). Ils ont été rejoints par leurs parents, des chômeurs, des habitants des bidonvilles…

Le but du rassemblement était d'organiser une marche pacifique afin d'interpeller l'administration sur l'atteinte à leur droit à l'enseignement public. Arrivée au niveau du centre culturel français, la manifestation s'est dispersée brutalement par les forces de l'ordre, sans pour autant que ceux-ci fassent usage de leurs armes à feu. Les lycéens ont été, ainsi, repoussés vers les quartiers populaires, ce qui leur a permis de rencontrer des chômeurs.

Ils se sont donc donné rendez-vous dès le lendemain et la suite vous la connaissez.

Des bus et des voitures étaient brûlés, des vitrines cassées, des magasins saccagés... etc. Le vandalisme avait pris le dessus.

Les forces de l'ordre et l'armée se sont mobilisées pour mettre fin à ces manifestations avec des moyens lourds : des chars d'assaut, des hélicoptères... etc. Le général Oufkir qui était à l'époque aux commandes de l'armée marocaine avait donné l'ordre de mitrailler tous les manifestants d'un hélicoptère.

Comme vous l'avez deviné, je suis née ce jour sanglant. Ma mère, tiraillée par le travail de l'accouchement, était très angoissée de perdre ses autres enfants et son mari dans cette poursuite des manifestants.

Expressive comme elle l'a toujours été, elle n'a eu aucun scrupule à me répéter un jour : pour t'avoir dans une clinique privée de Casablanca, j'ai pris le risque de perdre mes autres enfants.

Bonjour, la culpabilité !

Quel poids lourd à supporter durant toute ma vie !

Dieu est grand et miséricordieux ; ni son mari ni ses enfants n'étaient morts et j'étais tout de même venue au monde leur apporter de la joie et du bonheur.

J'avais une position délicate dans cette famille : la cinquième enfant et la deuxième fille.

Ma grand-mère Ghita Benkirane avait une préférence pour ma sœur Wafae. Sa seule justification était qu'elle était la première fille de ma mère et elle est arrivée au monde après trois garçons.

En réalité, je pouvais ne pas donner trop d'importance à ce comportement s'il n'avait pas été trop injuste à mon égard.

Elle profitait du voyage à l'étranger de mes oncles pour leur demander de ramener un beau cadeau à ma sœur.

Wafaa avait toujours droit aux plus belles poupées, aux plus belles robes, aux plus belles chaussures… Et moi je devais me contenter des miettes ou de rien.

Heureusement que mon père Ahmed Abourizk était là pour me consoler et me dorloter. J'avais droit tous les jours à un chocolat rocher que je savourais sur ses jambes lorsqu'il rentrait de son usine d'ébénisterie vers 19 heures.

Tel le chien de Pavlov, j'attendais avec impatience l'arrivée de mon père et surtout de mon savoureux chocolat.

J'ai eu ce moment intense en émotions et en douce saveur pendant cinq ans.

Il a fallu me sevrer de ce petit bonheur sucré le jour où mon petit frère Hicham est venu au monde.

J'avais toujours galéré pour m'affirmer dans ma famille.

Mes parents étaient adorables, mais pouvaient involontairement se montrer parfois inéquitables envers l'un de nous.

C'est vrai qu'il est difficile de satisfaire six enfants à la fois, chacun avec ses besoins psychologiques, ses goûts, ses préférences…

Mais devinez qui se sentait la plus lésée dans cette fratrie ?

C'était moi selon ma perception du moment bien évidemment.

D'ailleurs, je n'ai pas manqué de le crier un jour à mes parents :

« Je comprends que vous aimez Lotfi, car il est votre fils aîné, que vous aimez fort Jamal et Saad, car ils poursuivent leurs études en France et ils vous manquent, que vous adorez votre fille Wafaa, car c'est votre première fille et que vous idolâtrez votre fils Hicham, car c'est le tout dernier, il porte le prénom de mon grand-père paternel et il a survécu à quatre opérations chirurgicales suite à une péritonite. Et moi, où suis-je ?

Quelle importance m'accordez-vous ? »

Mes parents prenaient mes cris de détresse pour de l'humour et ils en riaient en dédramatisant la situation.

En revanche, au fond de cette petite fille que j'étais, mon petit cœur saignait.

Je ne réclamais que leur attention et leur amour.

Il fallait donc trouver le moyen de me faire remarquer.

Contrairement à ma sœur qui était sage comme une image, j'étais la fille turbulente, intelligente, celle qui posait plusieurs questions avec le sempiternel « pourquoi ? » qui agace toujours les parents, celle qui courrait dans ce long couloir, celle qui chantait à haute voix dans la salle de bain au point de me faire appeler par mon père la soprano de l'opéra, celle qui dansait sur les tables, celles qui inventait des histoires rocambolesques pour séduire mon auditoire…

Un cousin, aujourd'hui grand chirurgien à Casablanca, me rappelle toujours qu'il était impressionné par mon intelligence lorsque j'avais l'âge de trois ans, qu'il me posait au centre d'une table et qu'il me demandait de lui raconter des histoires composées avec des mots qu'il me communiquait au fur et à mesure que j'avançais dans mon récit. Il me disait par exemple « la petite fille » et je racontais l'histoire d'une petite fille. Il me soufflait et le petit chat, alors je continuais en précisant que la petite fille avait un petit chat qui lui tenait compagnie. Il ajoutait : la rue. Et je disais, un jour le petit chat est sorti dans la rue et s'est perdu… Ainsi de suite. Mon histoire pouvait durer des heures.

Ce sens de créativité, je le cultivais sans aucun doute durant les longues nuits passées dans notre immense maison de l'ancienne médina à Casablanca. Cette maison me fascinait par son immense patio et ses grandes salles construites tout autour de ce Patio, mais elle me faisait également peur, et j'avais toujours l'impression qu'une femme, que je ne connaissais pas, se faufilait dans mon lit et me serrait fort contre elle jusqu'à l'aube.

À mon réveil, je ne la trouvais pas.

Est-ce aussi le fruit de ma grande imagination ou est-ce réellement la preuve de créatures bienveillantes qui nous protègent de nos peurs ?

À l'âge de cinq ans, ma tante maternelle devait se marier. Mais comme ma grand-mère Ghita fut rappelée à Dieu en décembre 1970, ma mère décida de lui organiser une cérémonie de mariage intime chez nous dans notre grand salon de notre nouvel appartement sis à la rue d'Artois. Ma mère avait pensé à tout sauf à ma tenue pour cette fête. Je trouvais cela scandaleux !

J'avais donc décidé de faire bonne impression et d'honorer la mariée en improvisant un micro-spectacle. Je m'étais enfermée dans la chambre à coucher de mes parents. J'avais sorti l'immense poupée que mon oncle Hamid avait achetée à ma sœur Wafaa de Suisse. Je l'avais déshabillée et j'ai tout simplement porté sa magnifique robe avec de belles dentelles et froufrous. Je ressemblais aux belles danseuses de flamenco.

Et c'est ainsi que j'avais fait mon entrée théâtrale dans le grand salon, chose qui m'a valu l'admiration de tous et le courroux de ma sœur.

Ainsi, durant toute mon enfance, j'ai mené une grande bataille pour me faire remarquer, pour me faire aimer et pour bénéficier de l'attention de mes parents.

Cette bataille était vitale parfois. Lorsque nous étions assis tous autour d'une table pour manger nos repas, il fallait être perspicace et rapide surtout pour manger à sa faim, car avec 4 grands frères tous sportifs, une sœur et parfois un élève de l'école que mon père – fervent parent de l'association des parents d'élèves – nous imposait pour les repas, car il était orphelin, il fallait se concentrer sur le grand tagine qui était au centre pour y puiser sa ration et assouvir sa faim.

Le dessert était aussi important. Les fruits étaient généralement au menu.
Lorsque, je ne mangeais pas à ma faim durant le plat de résistance, je me rattrapais en doublant ma ration de fruits. Mais, j'avais un concurrent imbattable, c'était mon frère Jamal.
Lorsqu'on avait la pastèque au menu, il croquait dans plusieurs morceaux à la fois puis revenait les savourer délicatement l'un après l'autre, car il savait que nous pouvions plus les manger.

Que de bons moments passés autour de cette table familiale. Que de blagues racontées, que de moments intenses émotionnellement partagés. Ah, si je pouvais rembobiner le film de ma vie et revivre ces moments d'innocence et de spontanéité.

Mon passe-temps favori était l'enseignement. Sauf que mes élèves n'étaient pas des humains, mais les cousins du grand salon.
Le plus drôle était que je les trouvais tous stupides et je déversais sur eux toute ma colère avec un grand bâton que j'avais trouvé sur le chemin de l'école. Ce fut un passe-temps très athlétique.

S'affirmer dans cette fratrie était une mission difficile surtout que notre frère aîné, étudiant au petit lycée dépendant de la mission française, n'arrêtait pas de nous opprimer ma sœur et moi : « Quand les grands parlent, les petits se taisent » ou, « Va voir si je suis ailleurs » ou encore : va faire tes devoirs, et que ça saute ! ».

La dose de ces ordres réducteurs augmentait particulièrement lorsque nous recevions nos cousines.

Il fut même parfois violent : combien de fois, faisant prévaloir son rôle de frère aîné, n'a-t-on pas reçu, ma sœur et moi, des gifles injustifiées ?

Très impulsif, il se substituait à notre père et pensait pouvoir nous éduquer avec les gifles.

Dans notre culture arabo-marocaine, le frère aîné a le droit et l'autorité de corriger par tout moyen, ses frères et sœurs.

Dieu merci, il s'était marié jeune et avait quitté le foyer parental sinon j'aurais facilement développé un strabisme pour la vie à force de recevoir des gifles.

Mais malicieuse comme je l'étais, je trouvais le moyen de parler, de donner mon point de vue et de participer aux jeux des garçons : baby-foot, billard, football, cash-cash et plus tard jeux de cartes... etc.

Mon jeu préféré avec les garçons était « mala ».

C'est un jeu qui consistait à jouer avec des petits cailloux que nous ramassions sur les chantiers en construction. Il fallait les ramasser les uns après les autres. C'est un jeu qui nécessitait de l'attention et de la perspicacité pour marquer le plus de points. J'y étais forte, car j'avais de grandes mains qui me permettaient de ne laisser tomber aucun petit caillou.

Ce jeu était dangereux, car nous pouvions recevoir un caillou dans l'œil ou sur le crâne. Mais personne ne nous avait informés sur ses dangers.

J'étais aussi d'une curiosité morbide, je devais détenir le maximum de renseignements sur mes frères aînés pour les dénoncer à mon père et gagner l'amour de celui-ci.

Avec mes talents de manipulatrice, je savais qui de mes frères fumait en cachette, qui avait une petite copine, quels types de livres ils lisaient…
Au moindre déraillement, je pouvais les dénoncer. J'étais devenue dangereuse, mais j'avoue, honteusement, corrompue.

Précoce comme je l'étais, à l'âge de huit ans, je dévorais tous les livres de la série SAS ou Désir que mon frère aîné Lotfi lisait. Ainsi, j'avais découvert comment mes frères ont pu bénéficier d'une éducation sexuelle grâce à leurs lectures érotiques.

Lorsque mon frère Jamal, qui avait une apparence hippy avec de longs cheveux bouclés et qui appréciait la musique de Nass et Ghiwane et de Jil Jilala dormait, je m'empressais d'aller fouiller dans ses poches pour pouvoir vérifier s'il n'avait pas de petits joints cachés.

Un jour, de retour de son internat de la ville d'El Jadida, son cartable puait une odeur bizarre. J'étais persuadée que ça devait être un produit illicite. La mission impossible de James Bond 008 Alias Salwa devait commencer lorsque tout le monde serait dans les bras de Morphée. Qu'elle fut grande ma déception lorsque je suis allée doucement inspecter ce cartable suspect, tel le lieutenant Colombo, pour y découvrir uniquement un sandwich au thon oublié depuis quelques jours.

Ainsi, mes parents pouvaient compter sur moi pour leur servir d'indicateur.

Je bénéficiais de plusieurs privilèges dont j'étais satisfaite.

Avec Jamal, nous allions souvent jouer au baby-foot. J'avais droit à une partie en guise de récompense à mon silence.

Mon père avait délégué à Lotfi, mon frère aîné de douze ans, la supervision de mes bulletins scolaires.

Je trouvais cela injuste. Il fallait donc trouver le moyen de détourner cette injustice en ma faveur.

J'ai tout simplement appris à imiter sa signature. C'était comme on disait à l'époque : fastoche !

Mais, pour ne pas me faire prendre en flagrant délit, je lui donnais les bulletins avec les bonnes notes à signer et je gardais pour moi ceux avec une mauvaise note.

Et oui, de cette fratrie, j'ai appris à imposer ma place bien que j'avoue que les moyens n'étaient pas toujours honnêtes.

Je suis venue dans ce monde avec toutes les péripéties possibles et je comptais bien y rester et avoir mon mot à dire.

J'adorais mon cours de danse classique chez M. Valinsky, un Polonais installé au Maroc.

Ma sœur et moi nous y rendions deux fois par semaine, accompagnées par notre fidèle et dévouée sœur Mina.

La danse classique me faisait rêver et je me voyais déjà détrônant la meilleure danseuse étoile au monde en interprétant le solo de La Mort du cygne.

Lorsque mes deux frères Jamal et Saad étaient partis en France pour y poursuivre leurs études universitaires, ma mère était triste d'autant plus qu'à l'époque, il n'y avait ni téléphone portable ni réseaux sociaux pour avoir de leurs nouvelles. Mais mon père, toujours bienveillant et affectueux la rassurait régulièrement en lui disant : Pas de nouvelles, bonnes nouvelles !

Ma sœur et moi étions contentes de cette situation : nous nous étions débarrassées de deux gardes du corps étouffants et nous allions profiter de leurs lits confortables et leurs bureaux spacieux.

En réalité, ils nous manquaient et nous leur souhaitions de tout cœur la plus grande réussite.

Ils revenaient au Maroc, durant les vacances d'été. Et à chaque retour, nous avions droit à de jolis cadeaux venus de France. Ce pays incarnait pour nous le modernisme et l'élégance.

Ces cadeaux nous dévoilaient l'évolution de leur mentalité au fil des années.

Nous en rions, ma sœur et moi. Vous comprendrez si je vous donne un aperçu sur les cadeaux de Saad. La première année nous avions reçu des maillots de bain une pièce. Dieu merci que les burkinis n'existaient pas à l'époque.

La deuxième année, sachant que nous jouions au Tennis, nous avions reçu deux jolis shorts de marque Fila. Ils étaient tellement échancrés que nous ne pouvions pas les porter.

La troisième année, nous avions reçu des maillots string que nous n'avions jamais portés.

C'est bien d'évoluer, mais dans ce cas, je trouvais que ça devenait dangereux pour leur réadaptation au Maroc après leur retour.

Avec ma sœur, nous encouragions notre frère aîné à se marier après avoir obtenu sa licence en sciences économiques à l'université de Droit et des sciences économiques et juridiques de Casablanca. Avec l'aide d'un oncle directeur à la Douane, il avait intégré l'administration des Douanes et Impôts indirects. Son avenir de fonctionnaire était donc tracé.

Il connaissait une jeune femme sympathique qu'il avait fini par épouser et fonder une famille avec elle.

Nous pouvions alors souffler, d'autant plus que le benjamin, Hicham, était gérable et ne nous causait pas de problèmes.

Bien au contraire, mon père lui imposait de nous accompagner partout : au cinéma, à la piscine, au club de tennis... Avec un paquet de smarties, ces bonbons en couleurs enrobés de chocolat, on arrivait à le corrompre et il nous protégeait des harceleurs.

Sa raquette de tennis était intimidante pour tous ces jeunes prédateurs qui nous embêtaient.

Parmi les batailles, il fallait que je convainque ma mère à ne plus m'habiller comme ma sœur. Nous étions identiques à quelques années et kilos près.

Elle était plus âgée que moi de deux ans et quelques mois.

Et je la gagnais sur la balance.

Le plus étrange est que durant longtemps, j'étais persuadée que j'étais l'aînée des deux.

Comme elle était souvent chez ma grande mère et comme ma mère, avançait toujours comme excuse, qu'elle sortait pour un rendez-vous chez le médecin, j'étais persuadée qu'un beau jour, elle avait débarqué avec ma sœur au bras.

Ça devait être encore le fruit de mon imagination féconde.

On nous appelait au lycée, les sœurs jumelles.

Nous avions les mêmes jeans, les mêmes chemisiers, les mêmes jupes, les mêmes chaussures... C'était très embarrassant pour moi, car je ne pouvais pas lui emprunter ses habits.

Que d'histoires drôles nous avions eues à cause de cette ressemblance !

La plus amusante était lorsque nous étions toutes les deux au Lycée Chawki, des femmes nous ont abordées chacune à part en nous disant qu'elles avaient un frère à marier.

Ces femmes pensaient parler à la même jeune fille.

Un samedi après-midi, elles se sont présentées avec un jeune homme correct, professeur anniversaire pour demander la main de la jeune fille du Lycée Chawki.

Je taquinais ma sœur en lui disant si ce type est beau je le prends et s'il est moche, je te le laisse.

Mon père amusé leur a posé la question : laquelle des filles vous voulez demander en mariage ?

Elles n'avaient rien compris.

Mon père nous avait appelées toutes les deux pour les saluer.

À ce moment-là, ces femmes étaient très embarrassées. Elles ont dit : nous demandons la main de l'aînée pour notre frère. Mais comme je paraissais plus âgée que ma sœur, là aussi elles étaient encore embarrassées.

Constatant leur désarroi, mon père avait sauvé la situation en leur disant que nous étions trop jeunes pour le mariage et qu'il souhaitait que nous poursuivions nos études.

À cause de cette ressemblance aggravée par nos habits et nos coiffures identiques, nous vivions des histoires distrayantes.

Lorsque j'avais réussi au baccalauréat, je voulais absolument partir étudier en France.

Cependant, mon père, tellement protecteur envers ses deux filles, voulait me garder près de lui à Casablanca. Il m'avait demandé de passer tous les concours au Maroc avant de prendre une décision.

J'avais donc passé le concours d'accès à la faculté de médecine et le concours de l'ISCAE (l'Institut supérieur de commerce et d'administration des entreprises).

Je n'ai pas fourni d'efforts pour réussir ces concours, car je voulais absolument partir en France.

J'ai passé ces concours sans trop m'investir pour les réussir.

Mais la providence a voulu que je les réussisse tous les deux.

Je pleurais et les gens pensant que j'avais échoué aux concours me consolaient.

Je n'avais pas échoué. Pire encore, je les ai réussis tous les deux.

Ce qui anéantissait toute chance d'aller étudier en France.

Ma sœur était en première année de médecine et souffrait lors de la préparation de ses examens. Ça m'avait dissuadée de suivre son exemple.

J'ai donc opté pour L'ISCAE. De plus, cette école se trouvait à la sortie de Casablanca et je pouvais faire la demande d'une chambre à l'internat.

Ça faisait mon bonheur de m'éloigner du bercail.

Ça me permettrait également de souffler en semaine loin de la surveillance permanente de mes parents et de Mina.

Pour plaisanter, je leur avais trouvé des surnoms : mon père était Hitler, ma mère était Staline et Mina Mussolini.

J'étais heureuse du choix de mon école qui m'avait permis de connaître des gens venus de toutes les villes du Maroc. Nous passions des moments formidables avec les copines à chanter, à danser dans nos chambres d'internat et à discuter durant des heures sur les gradins de la grande cour de notre école. Nous passions aussi beaucoup de temps à la bibliothèque, chose qui me remplissait de bonheur.

Trouver ma place dans ma fratrie était une mission délicate, mais avec de la gentillesse, du respect et de la complicité avec mes frères et sœur, j'y étais arrivée.

En revanche, instaurer cette place et bénéficier d'un beau mariage, toute seule, sans être en compétition avec ma sœur, était une mission quasi impossible.

Comme par hasard, j'avais rencontré Abdellah, un jeune homme marocain de trente-six ans, de quinze ans mon aîné, qui avait fait ses études en France puis aux USA. Son père fut un bon résistant du temps du protectorat français au Maroc et sa maman une belle Berbère blonde aux yeux bleus.

Dans mon système de valeurs et selon mes exigences, il était l'homme parfait pour la situation.

Avec ses études dans des pays développés, il avait un esprit ouvert et ça m'arrangeait beaucoup.

Il ne parlait qu'en Français et Anglais.

Et avec ma petite cervelle de jeune fille naïve, c'était l'occasion insolite d'épouser un pseudo-Américain avec un nom de famille marocain et de confession musulmane.

En un mot : le jackpot !

Son âge dérangeait mes parents, mais pour moi c'était l'âge parfait : il a fini ses études, il est autonome financièrement, il s'est assez amusé avec les filles pour enfin se stabiliser et fonder une famille. Mais avant cela, il devait me faire sortir de ce carcan familial que ma sœur et moi appelions : la Prison.

Mon père étant conservateur, ne nous autorisait pas, ma sœur et moi, à sortir seules, ni à assister aux anniversaires et après-midi dansants, ni à passer la nuit chez les copines et les cousines…

C'était invivable.

Nos seules sorties étaient pour aller à l'université ou chez le coiffeur ou escortées de notre mère ou de Mina ou de notre petit frère.

Mon passe-temps favori était de danser des heures devant le grand miroir de notre chambre. J'étais emportée en transe, volant dans ma bulle imaginaire, jusqu'à ce que mon père me ramène à la triste réalité : Va étudier, ce sont tes études qui vont te rendre service dans ta vie ! Ce qui marquait bien évidemment la fin du show.

Mais avec du recul, je prie tous les jours pour ce père bienveillant et surtout visionnaire qui, sans aucun doute, devait se douter que je ne survivrais que grâce à mes études.

Même au club de tennis, nous étions obligées de ne jouer qu'avec les entraîneurs.

Tous les entraîneurs de notre club étaient laids, chauves et âgés. Ce qui ne me motivait pas à jouer.

Notre frère aîné Lotfi veillait à ce que cette condition soit respectée et dès qu'un jeune s'approchait de nous pour nous demander de jouer avec lui, il s'empressait de le renvoyer paître ailleurs.

Je passais mon du temps à me trouver des occupations distrayantes : m'épiler les sourcils, me maquiller avec la belle palette de fards à paupières de la marque Dior que mon frère Jamal m'avait offerte, me vernir les ongles, me faire des coiffures différentes… etc.

Mon père me taquinait toujours en m'appelant hamaqua c.-à-d. la fofolle.

C'était sa façon de dévoiler son affection et son admiration pour moi.

Et lorsqu'il me croisait bien maquillée, longeant le long couloir de notre appartement, il me disait : ma fille tu es aussi bien bariolée qu'une droguerie ! J'ai mis des années à comprendre pourquoi faisait-il cette similitude avec la droguerie. Au fait, toutes les drogueries, peignaient leur devanture avec une palette élargie de couleurs des marques les plus réputées de peinture industrielle.

Bref, pour sortir de cette vie ennuyante et contrôlée, le mariage était notre seule issue libératoire.

J'étais heureuse de me marier d'autant plus que mon fiancé avait une bonne bouille et correspondait au portrait du prince charmant que je m'étais dressé dans mon imagination.

J'étais donc amoureuse.

De qui au juste ? De lui ou du portrait-robot du prince charmant ?

On le verra plus loin sans aucun doute !

Qui dit mariage, dit grande fête !

J'étais heureuse d'être sous les projecteurs et d'attirer l'attention de tous.

Cependant, et chose qui était imprévisible, je ne m'attendais pas à ce que ma sœur Wafaa, se fiance également au même moment que moi. Comme dirait le grand humoriste Jamal Debbouze : Dis-moi pas que ce n'est pas vrai !

Mon père, étant très cartésien et motivé par les conseils de la famille, avait décidé de faire d'une pierre deux coups et de marier ses deux filles le même jour.
La grande braderie : deux pour le prix d'une !
Devais-je être contente de cette décision ou devais je contester ?
Mes parents voulaient organiser une grande fête, inviter toute la famille et tous les amis, les voisins… Donc, ils ne pouvaient pas s'offrir le luxe d'organiser deux fêtes distinctes.

Je n'avais pas mon mot à dire, la délivrance était proche et la vie allait enfin me sourire.

Je m'imaginais déjà parcourir les discothèques, les restaurants, les différentes villes du Maroc et de l'étranger avec mon mari.

J'acquiesçais donc docilement et j'attendais le grand jour.

Entre-temps, les préparatifs commençaient.

Ma mère, étant une bonne mère, ne voulait pas faire de jalouse donc elle achetait tout en double. Nous étions comme dans le jeu de cartes : une Ronda.

Et c'est ainsi que nous nous sommes retrouvées ma sœur et moi avec le même trousseau : les mêmes robes de chambre, la même lingerie, les mêmes brosses de cheveux, les mêmes caftans, les mêmes draps, les mêmes nappes, les mêmes serviettes…

Mon père, ayant une société d'ébénisterie à Casablanca, nous avait offert deux chambres à coucher complètes en bois massif, mais également identiques.

Le pire est que les invités, voulant également être équitables envers nous deux, nous ont offert des cadeaux identiques. Nous nous sommes retrouvées alors avec les mêmes vases, les mêmes bonbonnières, les mêmes services à café… etc.

Heureusement que les maris étaient différents !

Notre mariage s'est déroulé en deux étapes :

Le jeudi 21 juillet 1988, nous célébrions la cérémonie du henné avec la cérémonie de l'acte du mariage par les adouls.
À cette cérémonie étaient conviés uniquement les proches intimes c.-à-d. au moins une centaine de personnes.

Et le samedi 23 juillet 1988 devait se dérouler la grande soirée pour célébrer nos deux mariages. Il y avait au moins quatre cents personnes conviées et une centaine non conviée qui s'est imposée.

Mais mes parents, gentils, modestes et chaleureux comme ils l'ont toujours été, étaient heureux de recevoir autant de monde.

Parmi les invités, il y avait la famille de mon mari Abdellah, celle du mari de ma sœur Aissa, la famille de mon père, la famille de ma mère, mes amis de l'I.S.C.A.E. (l'Institut supérieur du commerce et d'administration des entreprises dont j'étais Lauréate), les amis de ma sœur à la faculté de médecine de Casablanca, les compagnons de mon père à la mosquée Al Andalous du Quartier El Maarif, les voisins, les amis de mes frères étudiants en France, les bonnes de toute la famille, les gardiens du quartier... etc.

Toutes les catégories socio-économiques étaient représentées à ce mariage. Un vrai panel représentant la société marocaine.

On parlait dans ce mariage toutes les langues et les dialectes : le français, l'anglais, l'arabe, le berbère... Un vrai moussem !

Avant cette cérémonie, sachant que mon mari buvait de temps en temps de l'alcool, je lui avais demandé gentiment de s'abstenir de boire le jour du mariage.

Ce n'est pas tombé dans l'oreille d'un sourd et étant donné que le cerveau de l'être humain n'assimile pas les choses émises avec la négation, il a retenu : boire, alcool !

Donc, il est venu le jeudi 21 juillet 1988 à 16 h complètement pompette.

Je ne m'en suis pas rendu compte tout de suite.

Les hommes étaient tous réunis dans un grand salon en bas de la villa de ma tante. Les adouls préparaient leurs actes sous les yous-yous des neggafates, ces femmes invitées lors des cérémonies de mariages pour assister les mariés, les habiller et chanter les louanges à Dieu et au prophète Mohammed SAS.

Les femmes étaient invitées au grand Salon à l'étage pour la cérémonie du henné.

Nous étions, ma sœur et moi, telles de vraies siamoises, habillées de la même manière, coiffées chez le même coiffeur, maquillées par la même make up artiste, nous attendions docilement que nos maris nous rejoignent pour la signature de l'acte de mariage.

Nous étions heureuses à l'annonce de l'arrivée de nos maris respectifs sous les you-yous des naggaffates.

Le mari de ma sœur, Aissa, s'est assis à côté d'elle avec les adouls qui l'accompagnaient.

Mon mari Abdellah s'est assis à côté de moi avec ses adouls.

Et c'est à ce moment-là que j'ai compris que je vis un moment dramatique dans ma vie : mon fiancé n'avait pas respecté ma volonté de ne pas boire d'alcool ce jour spécial.

Il avait les yeux rouges, il parlait lentement, il puait l'alcool…

Quel dilemme !

Devais je signer ce maudit acte de mariage et en finir une fois pour toutes ?

Ou devais je stopper cette mascarade et annuler ce mariage ?

Les larmes coulaient tout au long de mes joues.

Mon maquillage coulait.

Les adouls me tendaient le stylo pour signer mon acte de mariage.

Mes Cousines me taquinaient : signe Salwa, ne laisse pas les émotions te submerger !

Je voyais mon père et ma mère en face de moi : les larmes de joie aux yeux, qui m'encourageaient à signer…

Je ne pouvais pas leur affliger la honte de ne pas signer cet acte de mariage.

Je devais le faire, mais faire une régulation avec mon mari après le mariage concernant cette histoire d'alcool.

J'ai repris mon courage à deux mains, j'ai essuyé mes larmes et j'ai signé cet acte de mariage en sachant pertinemment bien que je devais entamer une nouvelle bataille : ma bataille avec l'alcoolisme de mon mari.

Chapitre 3
Ma bataille contre l'alcoolisme de mon mari

Il m'est souvent arrivé de méditer sur la vie et sur la responsabilité de chaque être humain sur terre vis-à-vis de ses choix, de sa famille, de ses amis, de la communauté et de l'univers en général.

Pendant ces moments de méditation, je notais toutes mes pensées sous forme d'arborisation avec des idées primaires et des idées secondaires. Une vraie cartographie ou mind-mapping que je reproduisais en texte.

« La vie est comme un piano » est l'un de ces textes que je souhaite partager avec vous dans ce chapitre.

« La vie est un piano,

Elle est un instrument de musique constitué de cordes frappées et d'un clavier.

Les cordes sont nos forces que nous déployons tous les jours pour réaliser nos rêves les plus secrets.

Les touches du clavier sont nos moments vécus et partagés.

Les touches noires de notre vie sont les moments pénibles par lesquels nous transitions.

Les touches blanches de notre vie sont les moments agréables que nous savourons et partageons généreusement avec ceux qu'on aime.

Le son musical de notre vie est produit par la vibration de ses cordes tendues (nos efforts fournis) devant une table d'harmonie, à laquelle elles transmettent leurs vibrations.

Elles sont frappées par des marteaux couverts de feutre (nos stimuli, nos sources de motivations), actionnées par la puissance des touches blanches et noires enfoncées : nos divers moments tristes ou heureux, riches ou pauvres, agités ou sereins sont les générateurs de la symphonie de notre vie en fonction de nos motivations.

Un pédalier de deux ou trois pédales (nos partenaires, nos enfants, nos proches…) permettent d'augmenter le potentiel expressif et de diversifier les nuances de notre vie.

Composons alors de belles mélodies avec nos deux types de touches, exprimons nos émotions à travers nos airs composés, alternons rage et douceur, tristesse et joie, tendresse et force… pour faire de notre vécu la meilleure des mélodies jamais jouée. »

J'ai choisi de vous citer cette métaphore sortie de mon blog pour vous parler de la plus puissante bataille menée dans ma vie.

Telle une symphonie, cette composition savante, de proportions généralement vastes, comprenant plusieurs mouvements joints ou disjoints et faisant appel aux ressources de l'orchestre symphonique. J'en étais le chef.

Il fallait que je mène avec virtuosité et ma baguette, mon orchestre, partition par partition, à jouer des musiques parfois douces et langoureuses et parfois instrumentalement bruyantes, mais enivrantes.

Comme je vous l'ai déjà annoncé dans le chapitre précédant, pour ne pas faire de peine à mes parents, j'ai signé malgré moi, mon acte de mariage en sachant que j'allais souffrir de l'alcoolisme de mon mari.

54

Je venais de découvrir que mon mari était addict à l'alcool et que s'il n'a pas pu s'abstenir de boire le jour de notre mariage, il continuerait de le faire à toutes les occasions.

D'ailleurs, et le comble de l'histoire, c'est qu'une fois l'acte de mariage signé, mon mari avait rejoint les hommes au salon au Rez de chaussée de la villa de ma tante.

Un dîner était offert à toute la famille en cette occasion.

Une heure après, les hommes ont rejoint les femmes au salon à l'étage. Nos parents, nos frères, les belles familles, les oncles, tantes, cousins, cousines étaient tous réunis.

Un groupe de chikhates animait cette soirée.

Ma sœur était assise à côté de son mari.

Il y avait tout le monde à l'exception de mon mari.

Il s'était volatilisé pour aller fêter son mariage, seul, dans un bar de Casablanca.

Avec du recul, je me pose la question : « Comment peut-on être aussi insouciant, irresponsable et sadique pour faire autant de mal autour de soi aux personnes que nous prétendons aimer ? »

Assise, avec des émotions contradictoires qui me rongeaient intérieurement, je faisais semblant d'être heureuse. Sauf que j'étais désespérément malheureuse.

Dieu merci, ma belle-sœur avait retenu prisonnier son frère Abdellah le samedi 23 juillet 1988 et l'avait gavé de café noir et d'eau minérale pour qu'il ne parte pas gambader encore dans un débit d'alcool et oublier qu'il devait se présenter à la grande cérémonie de son mariage.

La soirée s'était bien passée. Tout le monde a dansé. Tous les invités étaient contents.

Nous avions défilé, ma sœur et moi, avec plusieurs tenues marocaines qui représentaient plusieurs régions du Maroc. À la différence des couleurs, nous étions presque identiques.

Ce n'est que vers six heures du matin que nous avions pu retrouver notre domicile sis angle rue Jean Jaurès et rue Alexandre Dumas à Casablanca.

Ma vie de femme mariée commençait ce 24 juillet 1988 et les problèmes dus à l'alcool aussi.

Mon mari prétendait m'aimer et me chérir, mais avouait qu'il avait du mal à s'arrêter de boire une fois devant un verre d'alcool.

Il m'avait prise par les sentiments : à chaque fois qu'il buvait, il me parlait de sa mère décédée quatre ans plus tôt.

Empathique comme je le suis, je pleurais avec lui cette belle-mère que je n'avais jamais connue.

Parfois, il buvait à la maison et parfois, il sortait avec son plus jeune frère ou un ami et il ne rentrait qu'à l'aube.

Ce n'était pas une vie agréable !

Il m'avait dit qu'il était le patron d'une usine industrielle. Dans ma petite tête de rêveuse, j'imaginais la grande usine avec des centaines d'employés, plusieurs chaînes de machines pour les différentes phases de fabrication de ses produits.

Un jour, il n'était pas rentré déjeuner et voulant lui faire plaisir, j'avais concocté un petit panier avec une bonne salade, un plat de viande grillée, des légumes sautés et en dessert des gâteaux et fruits.

Je voulais débarquer chez lui et lui faire la surprise. Je voulais l'impressionner.

Comme je n'avais pas de voiture, j'avais pris un taxi pour me déposer dans le quartier industriel de Sidi Moumen. Son usine était bien ancrée à l'intérieur de ce quartier périphérique de Casablanca.

Pour y accéder, il fallait traverser toute une piste. Pour cela des charrettes tirées par des chevaux attendaient les clients pour une course à dix dirhams.

Ça m'avait replongé dans mes souvenirs d'enfance lorsque j'admirais Charles Ingalls conduire sa charrette dans la série la petite maison dans la prairie.

Je trouvais cela exotique et très romantique. J'ai pris la charrette et je me suis dirigée vers le n° 12 du lot de ce quartier.

Il y avait une grande porte métallique grise.
J'ai sonné. Un employé est venu m'ouvrir.
C'était bien l'usine de mon mari.

Sauf, qu'elle ne correspondait pas du tout à l'usine de mon imagination.

Il y avait trois employés, mon mari Abdellah et une presse au centre de cet espace de cent-vingt mètres carrés.

Mon mari fut étonné de ma visite, mais lorsqu'il avait su que je lui avais ramené son déjeuner, il était content de le partager avec ses employés.

Ayant perdu l'appétit suite à ce choc émotionnel, je les ai laissés manger en essayant de digérer ma grande déception.

C'était donc cela la fameuse usine dont il me parlait sans arrêt.

Une voix me disait dans ma tête : « Ne fais pas cette tête d'enterrement, tous les projets commencent petits et évoluent avec le temps et le travail ».

J'avais ravalé mon orgueil et ma fierté et me suis promis de l'aider à évoluer et à développer son projet.

Ma priorité était donc de l'aider à décrocher de l'alcool et à développer son activité et gagner plus d'argent.

J'essayais d'aborder avec lui le sujet de la désintoxication lorsqu'il était sobre.

Il me promettait de cesser de boire. Nous nous réconcilions sur l'oreiller et rebelote quelques jours plus tard.

Je lui avais demandé de ne plus sortir boire dehors, car je m'inquiétais pour lui.

En réalité, je n'avais pas peur qu'il me trompe avec une autre femme, mais j'avais peur qu'il se fasse agresser dans la rue ou qu'il ait ou provoque un accident de la circulation.

Pour cela, j'avais acheté un meuble-bar que j'avais installé au salon.

Comme je travaillais à l'époque dans une grande société de distribution d'électroménager et d'accessoires de maison, j'avais commandé chez un fournisseur de verres en cristal toute une série de verres à pied pour tous types d'alcools : Cognac, vin blanc, vin rouge, whisky…

J'étais devenue une grande experte en la matière.

Et en sommelière improvisée, je lui promettais de lui servir un ou deux verres avant le dîner.

Je n'avais jamais accepté de boire de l'alcool avec lui, car je ne voulais pas l'encourager dans ce sens.

Je ne buvais d'ailleurs jamais d'alcool. Ayant vécu dans une famille conservatrice et musulmane, c'était un péché de boire tout alcool ou spiritueux.

De plus, il fallait bien que l'un de nous reste sobre pour régler les notes des restaurants et conduire la voiture pour rentrer chez nous.

D'ailleurs, mon patron, qui était français, avec un humour très fin et qui m'appréciait énormément, s'empressait toujours de me servir un jus d'orange à chaque cocktail dînatoire de la société en précisant autour de lui que je suis une femme sobre qui ne boit jamais d'alcool.

Ayant à l'époque, comme client important, une grande surface de distribution de produits alimentaires et d'électroménager, je suis allée un jour à l'ouverture de l'un de leurs magasins au quartier Californie à Casablanca pour vérifier si nos produits étaient bien achalandés et placés en tête de gondole.

Une fois la visite terminée vers 18 h 30, je me suis rappelé que c'était l'anniversaire de mon mari.

Que pouvais-je lui offrir pour lui faire plaisir ?

J'avais acheté le meuble-bar et les verres en cristal.

Il me restait donc les alcools pour que mon mari se sente bien chez lui et ne sorte plus boire dans les bars.

Je me suis alors dirigée vers le rayon Alcool, j'ai tiré un chariot et j'y ai posé, toute sorte d'alcool : deux ou trois marques de whiskys, de la vodka, du Gin, plusieurs liqueurs, des bouteilles de vin rouge, blanc, rosé, deux bouteilles de champagne… etc.

Arrivée à la caisse, j'ai failli avoir une crise cardiaque lorsque j'ai vu que la facture indiquait le montant de six mille dirhams.

Pratiquement 80 % de mon salaire mensuel de l'époque allait y rester.

Cependant, je voulais faire plaisir à mon mari et je souhaitais surtout qu'il ne sorte plus dehors pour se saouler la gueule.

Pendant que je réglais ma facture, j'ai entendu une voix rauque me chuchoter à l'oreille :
Mme Salwa, pour quelqu'un qui ne boit jamais d'alcool, vous y êtes allée fort : vous avez dévalisé le rayon alcool.

En me retournant, j'étais en face de mon patron.

Que faire ?

J'ai souri en disant en effet M. Antoine G, je ne bois jamais, mais mon mari boit pour nous deux.

Nous en avons ri plusieurs fois.

D'ailleurs, depuis ce jour, il a commencé à m'appeler en rigolant : Mme L'alcoolique !

Le hasard de la vie a voulu que ce patron, soit le voisin qui occupait la maison aux baies vitrées en verre fumé en face de mon appartement.

Je ne le savais pas.

Je l'ai su un jour lorsqu'il m'a appelée à son bureau en me disant : « Mme Salwa, je sais que vous souffrez de l'alcoolisme de votre mari. Je vous observe de loin. Vous l'attendez souvent au balcon de votre chambre à coucher. Il rentre à l'aube. Vous ne dormez pas et vous venez travailler toute la journée. Bravo pour votre courage. Je suis à votre écoute et si vous souhaitez divorcer ou avoir un conseil juridique, je vous offre les services de l'avocat de la société. »

Ce jour-là était marqué dans ma vie, car j'avais une personne mature, ouverte d'esprit et empathique qui pouvait m'écouter pour parler de ce problème que je n'avais jamais pu aborder avec ma famille.

Divorcer, je ne pouvais pas le faire à l'époque, car j'avais déjà mon fils aîné Yazid et mon salaire ne me suffisait pas à faire face aux charges de ma famille.

J'avais aussi peur que mon père me demande de revenir au bercail et d'être à nouveau sous son contrôle.

Il fallait que je m'en sorte seule.

Mon Patron était un ange sur terre. Il savait être à mon écoute. J'avais l'âge de sa fille. Je ne savais pas si je devais le considérer comme mon patron, ou mon ami, ou mon père.

Il était tout cela à la fois.

On se parlait souvent au téléphone lorsque mon mari faisait sa bringue.

C'était mon coach de vie, mon psy, mon ami, mon grand frère, mon conseiller juridique...

Malheureusement, il a dû quitter le Maroc après sa retraite pour rejoindre sa famille à Paris.

Je lui avais promis de venir lui rendre visite à chaque fois que je pouvais me rendre à Paris. J'ai tenu ma promesse.

Dès que je me rendais à Paris, je l'appelais.

Il m'invitait dans l'un des meilleurs restaurants de cette ville magique.

Il était heureux de s'attabler avec une jeune femme belle et intelligente.

Nos discussions étaient variées : nous parlions d'art, de politique, de sport, d'économie, du Maroc, de mes enfants et bien évidemment de mes problèmes de couple avec mon époux.

Grâce à lui, j'ai découvert les bons restaurants parisiens : le Fouquet's, La tour d'argent, Le Cinq, Le Boudoir, La Cantine du Faubourg, le Dôme, l'Alsace, le Spicy, le TSÉ…

Après chaque dîner, nous prenions un taxi, il me déposait à mon hôtel et il rentrait chez lui en me lançant avec son humour habituel : « Sois sage, mon petit chat, bonne nuit et à demain. »

C'était un ami précieux et mes dîners avec lui étaient pour moi une vraie thérapie et une grande bouffée d'oxygène. Bien qu'il soit Européen, il ne buvait qu'un ou deux verres de vin rouge pour son problème cardiaque. Je n'avais pas à contrôler sa consommation d'alcool comme je le faisais habituellement avec mon mari.

Ce lâcher-prise me convenait parfaitement et je retrouvais mon enfant intérieure en parlant spontanément, en riant à ses boutades…

Pour votre information, mon mari connaissait l'importance de cette amitié et savait que je le voyais à Paris. Il a toujours su que ce monsieur était comme un père pour moi et c'est ainsi qu'il ne m'avait jamais interdit de le rencontrer ou de l'inviter lorsqu'il venait au Maroc.

D'ailleurs, lorsqu'Antoine avait eu son infarctus du myocarde et qu'il avait été hospitalisé à Paris, mon mari m'avait accompagné à l'hôpital pour lui rendre visite. Il y a rencontré son ex-femme et sa fille.

Donc, je ne faisais rien en cachette et c'était une amitié sans arrière-pensées. Antoine avait d'ailleurs une compagne qu'il voyait de temps en temps. Il adorait sa fille et ses petits-enfants. Et gardait le contact avec ses deux ex-épouses.

Une fois nous devions dîner dans un restaurant et vers 18 h 30, il avait reçu un coup de fil de la concierge de sa deuxième ex-épouse, lui annonçant que celle-ci avait fait une tentative de suicide et qu'elle fut emmenée par l'ambulance à l'hôpital Saint Anne à Paris.

Empathique comme je le suis, je ne pouvais pas l'abandonner.

Bien habillée, bien coiffée par un coiffeur parisien et bien maquillée pour sortir dîner dans un restaurant connu à Paris, le Bouddha Bar, je me suis retrouvée dans le hall de l'hôpital Saint Anne. Par Pudeur, je n'ai pas voulu entrer voir cette femme avec Antoine. C'était un moment intime pour eux. Je l'ai donc attendu dans la salle d'attente. Ce qui a fait le bonheur de plusieurs malades mentaux de cet hôpital. Certains me parlaient et je répondais gentiment. D'autres me regardaient avec un regard sombre.

Ça me rappelait d'ailleurs les films d'horreur d'Alfred Hitchcock. D'autres trouvaient que j'avais de beaux cheveux et voulaient les toucher. Antoine était sorti de sa visite chez son ex-femme vers 23 h. Il était tout remué. Cette pauvre femme souffrait de n'avoir jamais goûté au bonheur de la maternité. C'est ce qui l'a plongée dans un désarroi total. Nous avions pris un taxi, j'avais demandé au chauffeur de le déposer à son quartier dans une rue du 8e arrondissement puis je suis rentrée bouleversée à mon hôtel sans avoir dîné.

La vie est tellement injuste parfois.

Ce détour dans cet hôpital psychiatrique n'était pas prévu dans mon programme, mais il fut tellement apprenant. Notre équilibre mental tient à un fil, il faut savoir en prendre soin pour ne pas flancher.

Tout ce qui est bien à forcément une fin.

Depuis trente ans, j'avais l'habitude de téléphoner régulièrement à Antoine pour prendre de ses nouvelles et lui souhaiter un joyeux anniversaire ou de bonnes fêtes de fin d'année ou de Pacques. En décembre 2018, je l'ai appelé sur son portable, j'ai trouvé la boîte vocale. Je me suis dit qu'il avait éteint son téléphone pour faire une sieste ou qu'il était en corse, à sa deuxième demeure.

Quelques mois plus tard et n'ayant pas de nouvelles de lui, j'ai envoyé à sa fille Carole un message sur Facebook lui demandant de ses nouvelles et des nouvelles de son père.

Quelques jours plus tard, elle me répondit que son papa nous avait quittés le 04 décembre 2018. J'ai appelé un ami commun à Casablanca, il m'a confirmé qu'Antoine avait tiré sa révérence dans sa maison de retraite qu'il détestait. Il aurait souhaité mourir en Corse son pays natal.

Hélas, sa fille en a voulu autrement. Elle avait vendu son appartement du 8e arrondissement et l'a placé dans cette maison de retraite qu'il haïssait.

Il avait toujours été autonome, se retrouvant dépendant d'infirmières et d'infirmiers avec des personnes du 4e âge l'a complètement déprimé.

Antoine était parti emportant avec lui tous mes secrets, mes peurs et mes angoisses que ni mes frères et sœur ni ma mère ne connaissaient.

Ça me faisait plusieurs deuils à vivre à la fois. Ma mère nous ayant quitté le 08 janvier 2017 et Antoine en décembre 2018. Tous ceux que j'aime partaient et je me retrouvais livrée à moi-même.

Que Dieu ait ton âme en sa sainte miséricorde cher ami.

Tu étais entré dans ma vie au bon moment et au bon endroit pour m'épauler durant cette longue bataille.

Je suis persuadée qu'Antoine a rejoint le Paradis. Ce fut une très belle âme qui diffusait de l'amour et la paix. Il était bienveillant avec ses domestiques, avec les familles de ses domestiques dont il avait embauché plusieurs membres dans les sociétés qu'il dirigeait, avec ses ex-épouses, avec sa fille et ses enfants, avec ses amis et avec moi.

Revenons à ma vie en 1994. Je vivais avec mon mari, mon fils Yazid et la nounou de mon fils Naima. Je travaillais dans cette grande boîte de distribution d'électroménager, de métaux, de sidérurgie, de quincaillerie… J'occupais le poste de responsable Marketing.

Pendant qu'Antoine G. était le directeur général, j'avais un excellent budget Marketing.

Il me faisait confiance sur le plan professionnel. Il reconnaissait mes compétences et me trouvait très intelligente.

Motivée par la confiance du Grand Patron, je m'éclatais au travail et organisais de très belles campagnes promotionnelles de nos produits dans les magasins de cette entreprise.

Je faisais des tournées dans toutes les villes du Maroc pour promouvoir nos produits.

Je participais à la sélection des produits achetés par la direction commerciale, et ce aussi bien au Maroc qu'à l'importation.

J'avais un très beau bureau que les employés appelaient la suite royale.

Mon bureau avait des baies vitrées qui me permettaient de voir de l'intérieur tout ce qui se passait dans le grand showroom de 1000 m². J'y avais une télévision et un lecteur de cassettes vidéo pour visionner les films publicitaires, une chaîne stéréo pour écouter les messages publicitaires diffusés à la radio, une machine à café pour les partenaires et parfois même pour les collègues.

J'avais également un véhicule de fonction qui me permettait de me déplacer dans les différentes villes et points de vente de la société.

J'avais vingt-cinq ans, après l'arrivée de mon fils, je n'avais plus le temps de manger. Ainsi, j'avais perdu au moins quinze kilos. Je portais la taille 36-38 en pantalon.

Je portais des petits tailleurs ajustés. Je me coiffais et me maquillais correctement.

Je suis devenue ainsi la coqueluche de cette société.

La plupart des fournisseurs voulaient travailler avec moi.

Tous les clients que j'abordais pour un partenariat professionnel répondaient positivement.

En deux ans, j'étais devenue la Wonder woman du business de secteur de l'électroménager à Casablanca.

Et c'est là qu'a commencé ma bataille contre le harcèlement sexuel.

J'avais beau expliquer aux gens que j'étais marié et maman d'un enfant, ils étaient sourds à mes propos et continuaient de me courtiser.

Antoine et le directeur commercial savaient ce que j'endurais dans ce milieu d'hommes prédateurs.
Ils me protégeaient autant qu'ils pouvaient, mais me disaient qu'ils me faisaient confiance pour être diplomate et remettre délicatement les clients et les fournisseurs à leurs places.

Dans mon foyer, la vie continuait pour moi avec ses cycles de bonheur, de grandes disputes, de fugues, de réconciliations, de petits voyages au Maroc et à l'étranger.

Je devais rester vigilante à tout moment, car le comportement de mon mari était imprévisible.
Il pouvait boire beaucoup d'alcool et bien manger sans se saouler comme il pouvait perdre son self-control au bout de deux ballons de vin rouge.

D'ailleurs, lors d'un voyage à Agadir, je me suis rendu compte que j'étais mariée à un homme qui appréciait beaucoup les femmes.
Ce fut ma nouvelle bataille menée en parallèle avec celle de l'alcool.

Attablés tous les deux dans le bar de l'hôtel, une belle et blonde Suédoise était en face de nous. Mon mari n'arrêtait pas de la dévisager comme si je n'existais pas. Pourtant, j'étais belle, bien habillée, le teint hâlé par le soleil, les cheveux bien coiffés et un joli maquillage mettait mes traits en valeur.

Mais au fur et à mesure que mon mari sirotait son verre de vin, la Suédoise lui faisait perdre la tête, devant moi et sans gêne. Je me suis sentie insultée et vexée.

Mais quelle fut grande ma joie, lorsqu'une autre femme de couleur a rejoint cette femme et l'a langoureusement embrassée sur la bouche.

Yes ! Elle était lesbienne.

J'étais enfin heureuse d'avoir gagné ma petite bataille.

Quant à mon mari, il avait eu la récompense de ce comportement discourtois : il a passé la nuit, seul, sur le canapé de la chambre. Ça lui a appris à regarder ailleurs que sa femme.

Avec cette bataille contre l'alcoolisme de mon mari et le harcèlement sexuel au travail, j'ai décidé de me faire enlever mon stérilet par mon gynécologue et de tomber enceinte. Yazid avait quatre ans et ça faisait trois ans que j'étais dans cette société, j'en avais donc le droit.

Et avec une grossesse qui allait devenir remarquable au fil des mois, mes admirateurs pouvaient renoncer à leurs stratagèmes pour me courtiser et me laisser enfin travailler en paix.

J'ai passé une grossesse difficile avec mon boulot qui me prenait presque dix heures par jour, mon enfant Yazid dont je devais m'occuper une fois à la maison et la maladie de mon père qui s'était déclenchée durant l'été de l'an 1994.

Mon père était mon modèle d'hommes, mon protecteur, mon géniteur, mon mentor…

Je ne concevais pas de le perdre.

De plus, il était en bonne santé jusqu'au jour où on a détecté chez lui une grosseur au niveau du bras.

Les résultats de l'anatomopathologie étaient formels. Il s'agissait d'un adénocarcinome. C'est le type le plus courant d'un cancer du poumon.

L'oncologue nous avait précisé que mon père avait un cancer primitif inconnu. Il devait être situé ailleurs et non au niveau du poumon et qu'il fallait lui administrer le protocole chimiothérapique le plus adapté à son cas.

Donc une série d'investigations a commencé. La visite chez le gastro-entérologue pour la fibroscopie et la colonoscopie. La visite chez l'urologue pour palper la prostate. Une batterie de scanners et d'examens sanguins a suivi.

L'oncologue a donc décidé d'entamer un protocole chimiothérapique par tâtonnement étant donné que tous les résultats obtenus ne lui avaient apporté aucun autre éclaircissement et que le diagnostic de cancer primitif occulte était posé.

J'étais enceinte et comme par hasard ma sœur l'était aussi. Nous nous donnions rendez-vous pour nos grossesses. Nos aînés étaient à trois mois d'intervalle et cette fois nous étions à quatre semaines de différence.

Nous nous relayions pour accompagner notre père chez l'oncologue pour ses séances de chimiothérapie et chez le radiothérapeute pour ses séances de radiothérapie.

Jour après jour-là santé de notre père se détériorait. Les traitements administrés n'ont pas été une réussite dans son cas.

Ce maudit cancer prenait du terrain et commençait à toucher tous les os.

Une déminéralisation totale des os en a suivi.

Mon père ne pouvait plus se lever de son lit.

Je vivais minute par minute cette maladie avec les contraintes de ma grossesse, mes visites chez mon gynécologue et mon travail que je trouvais de plus en plus ennuyant depuis le départ du Grand Patron en retraite.

Ma seule satisfaction et que tous les clients et partenaires professionnels avaient calmé leurs élans de séduction au fur et à mesure que mon ventre s'arrondissait.

Perdre mon père n'était pas envisageable dans ma petite tête. Cependant, il fallait s'y préparer. Je pleurais tous les jours. Ma pauvre Hasnaa dans le ventre a dû percevoir toutes mes angoisses et ma tristesse.

Il souffrait beaucoup de ses douleurs musculaires et articulaires et cela me déchirait le cœur.

Mon accouchement était prévu vers le 20 janvier, mais j'avais demandé à mon gynécologue de provoquer mon accouchement plus tôt, car mon père était très malade et risquait de mourir d'une minute à l'autre.

Pendant plus de 10 Jours, j'allais chez mon gynécologue tous les jours pour suivre l'évolution de mon fœtus par échographie. Il ne comprenait pas pourquoi le fœtus ne prenait pas de poids et pourtant je m'efforçais de manger. Nous nous sommes enfin mis d'accord pour provoquer l'accouchement le mercredi 04 janvier 1995.

Ma fille est née comme prévu vers 12 h 20. Elle pesait 2 800 kg. Le médecin m'avait expliqué qu'elle ne prenait pas de poids dans mon ventre, car le cordon ombilical était trop court.

Elle était mignonne et en bonne santé. Merci, mon Dieu, pour ce magnifique cadeau.

C'est mon père qui l'avait appelée Hasnaa. Étant alité sur son lit de mort, je voulais lui faire plaisir et lui accorder ce petit bonheur.

Il souffrait le calvaire. Malgré les doses de morphine administrées, les douleurs ne le quittaient plus. Et comme il faisait des crises d'apnée, le médecin ne pouvait pas lui augmentait les doses.

À chaque inspiration et à chaque expiration, la douleur le traversait. Empathique comme je l'ai toujours été, je souffrais avec lui de ses sempiternelles douleurs. Si je pouvais les partager avec lui, je l'aurais fait.

Hélas, j'étais impuissante devant ce maudit cancer qui rongeait mon père sournoisement et le dirigeait de jour en jour vers sa dernière demeure.

Pendant tout mon congé de maternité, je ramenais ma fille et restais près de mon père pour lui faire la conversation, lui raser la barbe, lui donner sa douche, lui tenir la main et l'embrasser si fort qu'un jour, il m'a dit : tu vas me casser mes os ma fille.

Jamais, je ne me suis sentie autant proche de lui que durant ces derniers mois de vie.

Un jour, pendant que je lui tenais la main, son regard s'était dirigé vers la porte comme s'il regardait quelqu'un. Il a dit : « Salam. Pourquoi tu es venue maintenant ? Il reste encore onze jours à notre rendez-vous ? »

Je lui ai posé la question : « Papa, avec qui parles-tu ? »

Il m'a dit : « La mort. »

Depuis ce jour, j'ai décidé de ne pas le quitter. J'ai ramené mes deux enfants et Naima leur nounou au domicile de mes parents. Je me suis installée dans notre ancienne chambre.

Chaque jour, je comptais : J-10, J-9, J-8, J-7, J-6, J-5... et pour l'occuper, je lui lisais le Coran. Il le connaissait par cœur et malgré ses douleurs déchirantes n'hésitait pas à me corriger de temps à autre.

Ma sœur Wafaa, étudiante en Médecine, venait également avec ses filles. Parfois, elle restait avec moi dans la chambre avec notre père et parfois, allait au salon préparer ses examens.

Pendant que j'assistais mon père, il avait parfois des moments de flottements. On aurait dit que son âme planait hors de son corps dans un autre monde et revenait enfin à son corps. Il saluait des gens que je ne connaissais pas. Un jour il m'a dit : ils m'attendent avec des dattes et du lait. C'était triste de sentir que sa fin approchait. Mais, j'étais rassurée de sa destination : vu ce qu'il me décrivait, il allait sûrement rejoindre le paradis.

Ma forte intuition me disait que mon père allait nous quitter le Jour J-11.

J'en avais parlé à ma sœur médecin qui m'a stoppé catégoriquement en me disant il nous quittera lorsque Dieu en aura décidé ainsi.

Ses seuls moments de bonheur se limitaient à nos visites. Ma sœur et moi, venions chacune avec son nouveau-né l'entourer sur son lit et lui faisions la conversation. Nous voulions égayer ses derniers jours en lui parlant de nos enfants. Un jour, il nous a dit clairement : les filles, vous m'agacez avec vos enfants : Sophia, Yazid, Hasnaa, Leila... laissez-moi me reposer.

Mes frères Jamal et Saad étaient venus le voir quelques jours. Leurs aurevoirs étaient déchirants. Lotfi passait le voir tous les jours. Nous nous retrouvions tous parfois dans le grand séjour à sangloter comme des petits enfants. Nous l'aimions si fort et nous n'envisagions pas la vie sans lui.

Le samedi 18 mars 1995, mon père allait de plus en plus mal. La radiothérapie lui avait brûlé son œsophage et son pharynx. Il ne pouvait rien avaler. Il se sentait faible. Je lui avais proposé alors, une glace d'Oliverie. Il a accepté. Je la lui ai fait manger doucement. À chaque bouchée, il tapotait son thorax. La glace le brûlait.

Mon cœur se déchirait, nous étions le jour J-1. Je n'avais pas dormi pendant cinq jours déjà, je ne devais pas céder au sommeil. Je voulais l'accompagner jusqu'à son dernier souffle.

Un cousin chirurgien avait été contacté par mon frère aîné pour l'informer de l'état aggravé de mon père. L'oncologue et le réanimateur avaient décidé de l'hospitaliser pour lui accorder un petit confort de vie ou plutôt de mort.

Il fut accepté à la clinique Maghreb à 22 h 30. Bien évidemment, j'avais décidé de passer la nuit avec lui laissant mon bébé à Naima.

Ce qui était bizarre est que j'avais inconsciemment reproduit le scénario qu'avait vécu ma mère avec mon grand-père. Je faisais subir à ma fille le même sevrage dont je fus l'objet plusieurs années plus tôt.

Ma mère, épuisée par la maladie de mon père et les visites de la famille, ne pouvait pas venir.

Mon petit frère Hicham était resté avec moi.

J'avais demandé autour de moi : comment peut-on reconnaître la mort ?

On m'avait dit que la mort est unique et je saurai la reconnaître au bon moment.

Je m'étais aussi renseignée sur les rituels à faire pendant l'agonie des musulmans. On m'avait dit de lui faire couler un peu d'eau dans sa gorge, de lui donner du miel vierge et de lui réciter la chahada à l'oreille (il n'y a aucun Dieu que Dieu et Mohammed SAS est son prophète).

Armée de ce petit pot de miel vierge pris de la cuisine de mes parents, du Coran et de mon courage, je traquais cette mort qui devait être au rendez-vous, car nous étions à quelques heures de notre rendez-vous du Jour J.

Pendant que mon petit frère feuilletait son magazine sur le 2ᵉ lit de cette chambre n°2 de la clinique Maghreb de Casablanca, cette même chambre qui m'avait accueillie cinq ans plus tôt avec mon nouveau-né Yazid, je lisais à mon père Sourate Yasin et Sourate Al Mulk, deux sourates réputées de faciliter la sortie de l'âme du corps et d'alléger les spasmes de l'agonie.

Vers 23 h, mon père, ayant gardé son humour jusqu'à la fin, me fit savoir qu'on avait un visiteur. L'oncologue et le réanimateur se regardaient. Au fait, mon père ne faisait pas encore allusion à l'ange de la mort, mais insinuait qu'il y avait un cafard sur le mur.

Ce petit sourire apporté dans cette chambre mortuaire nous a apporté une lueur d'espoir.

Hélas, nous ne pouvions pas assister à un miracle au stade où il était arrivé en seulement sept mois.

Vers 2 h 10, papa me dit : « Sadaka Allah El Adhim » – formule utilisée pour terminer la lecture de tout verset coranique –, ferme le Coran ma fille, et aide-moi à me retourner, c'est l'heure. Enlève-moi stp ce masque à Oxygène. Je lui ai dit que je ne pouvais pas le lui enlever. Il m'a dit, ce n'est pas grave, vous l'enlèverez tout à l'heure.
En le retournant, mon visage était proche du sien et il m'a dit : tu es belle ma fille.

Nous étions le jour J, j'ai réveillé mon petit frère. Je l'ai orienté vers la qibla et à ce moment-là, j'ai vu le regard de mon père terrorisé vers quelque chose que je ne voyais pas. J'étais en présence de la mort.

Sa respiration était devenue très rapide. Nous avions appelé les infirmiers de service. Un infirmier a essayé de le réanimer. J'ai demandé à mon petit frère d'aller ramener ma mère après l'avoir avisé par téléphone de se préparer.

J'ai sorti mon petit pot de miel, j'ai pris une demi-cuillère à café que j'ai placée sur le bout de mon index. J'ai ouvert la bouche de mon père agonisant, je lui ai pressé une compresse imbibée d'eau et je lui ai placé quelques gouttes de miel dans sa gorge. Pendant, ce temps, j'ai repoussé l'infirmier qui voulait lui faire un massage cardiaque, en lui disant : svp, laissez-le mourir en paix.

Je lui récitais la chahada à l'oreille. À cet instant, ma mère était rentrée dans cette chambre de clinique. Elle lui a tenu la main et l'a embrassée et c'est à ce moment-là que son âme a quitté son corps.

Mon père avait besoin de faire un dernier au revoir à sa compagne de vie de plus de quarante-cinq années, d'amour et de bonheur, pour le meilleur et le pire.

Les funérailles ont eu lieu le dimanche 19 mars 1995. J'avais accompagné mon père jusqu'au véhicule mortuaire qui devait l'accompagner au cimetière.

Mon cœur était déchiré. Je me sentais amputée d'une partie de mon âme. Mais, je devais continuer de vivre avec la satisfaction d'avoir bénéficié de sa bénédiction jusqu'à son dernier souffle.

Je m'étais enfermée ensuite dans sa chambre et j'avais dormi sur son lit à sa place qu'il occupait la veille.

Papa était mort et le monde s'écroulait autour de moi.

Le mythe, la légende, le parrain, le conseiller, le psy, le père de tous... avait rejoint sa dernière demeure nous laissant tous orphelins.

Je comprenais enfin le sens du mot orphelin. Perdre son père, même à un âge adulte, c'est être complètement déraciné.

Rien n'était plus comme avant. Je n'avais plus personne à qui me confier au Maroc.

Je ne voulais ni déranger mon ex-patron ni l'embêter avec mes problèmes personnels d'autant plus qu'il avait eu un infarctus du myocarde. Je voulais le ménager. Il avait sa petite vie à Paris.

Durant la même année, j'avais décidé de créer ma société et d'opter pour la représentation d'une franchise nationale de meubles en kit et accessoires.

Le choix d'une autre ville s'imposait par mon franchiseur.

J'ai finalement opté pour la ville de Tanger avec l'espoir que cette ville m'apporte quiétude et bonheur dans mon couple et ma famille.

Mon père, cet homme extraordinaire, bienveillant, sage, pieux, protecteur... nous avait quittés. J'espérais le rencontrer bientôt.

Quelques jours après son décès, je le vis dans un rêve. Il était beau, en bonne santé, habillé avec les habits du Hajj et il m'a dit : « Je suis bien là où je suis, ma fille, on m'a accueilli chaleureusement. Mais s'il te plaît, fais attention, tout ce qu'on dit sur l'au-delà est vrai ; il y a le jugement. On peut te punir pour des péchés dont tu ne t'en souviens même pas. Alors, crains Dieu et essaie d'éviter de commettre des péchés, car Dieu existe et il voit tous nos actes et entend nos paroles de son trône. »

Ce rêve était prémonitoire. J'en faisais d'ailleurs souvent. Ceci était un bel enseignement de la part de mon père. Je devais suivre ses recommandations. Depuis ce jour, je suis devenue assidue dans la pratique de ma prière et de mes invocations.

Mon père était mon bouclier qui me protégeait des dérapages de mon mari.
Celui-ci avait donc compris que j'étais amputée de ce père protecteur, c'était mon nouvel handicap.

Les bringues devenaient plus courantes et moins espacées.

J'avais fui Casablanca comme si ce départ allait me faire oublier mon chagrin.

Installée à Tanger avec les enfants et Naima, sans ma famille et mes amis de Casablanca, je me sentais terriblement seule à Tanger.

J'avais uniquement mon boulot qui me prenait beaucoup de temps, car je souhaitais développer mon affaire, et mes deux enfants Yazid et Hasnaa.

J'avais sympathisé avec la majorité de mes clients. Mais c'étaient uniquement des relations sociales et non des amis.

Au fur et à mesure que les jours passaient, je commençais à m'habituer à ma nouvelle vie dans cette ville. J'ai tissé des amitiés avec des femmes sympathiques, elles aussi venues de Casablanca ou de Fès. Nous commencions à organiser des sorties entre couples et avec les enfants.

J'ai commencé à apporter une valeur ajoutée à la vie culturelle de cette jolie ville.

D'ailleurs, ma société fut parmi les premiers sponsors du festival du Théâtre des amateurs et du Tanjazz. Je m'impliquais sérieusement dans toutes les responsabilités que l'organisateur me confiait et ça me plaisait. Je mettais ma camionnette de livraison et des chaises de ma société au service des musiciens et j'offrais des plats succulents pour le dîner des dames de Tanger offert habituellement aux musiciens, invités et sponsors du Festival au grand palais des institutions italiennes, le Palais Moulay Hafid.

Comment devrais-je continuer de mener ma vie et me protéger de ce mari qui prenait avec force du pouvoir de jour en jour ?

Je ne pouvais plus contrôler ses sorties ni ses beuveries.

Je l'avais convaincu délicatement de consulter un psy pour prévoir une cure de désintoxication.

Ensemble, nous avions fait la tournée des psys de Casablanca et de Tanger.

La plupart des psychiatres que j'avais rencontrés avec lui m'ont affirmé que je perdais mon temps et mon argent, car mon mari n'était pas près d'abandonner son addiction.

Il tissait une relation passionnelle avec l'alcool. C'était le remplacement du sein maternel de sa mère dont il avait, peut-être, été brusquement sevré.

Jamais je n'oublierai le jour où en sortant du cabinet d'un psychiatre, il lui avait dit : « Docteur, je suis ravi de vous avoir rencontré. Nous devrions prendre un pot ensemble un de ces soirs. »

Le psy m'avait téléphoné alarmé en me disant que mon mari était un cas désespéré et que je devais faire un travail sur moi soit pour le quitter soit pour accepter son addiction et vivre avec.

Entre-temps, mon fils Amine était né. J'étais débordée entre mon travail de gérante de société, mon rôle de mère de trois enfants ne pouvant jamais compter sur mon mari pour s'occuper des enfants et mon rôle d'épouse d'un alcoolique.

Son cas s'était aggravé à Tanger, car les débits d'alcool et les discothèques ne ferment qu'au matin.

Combien de fois, ne l'ai-je pas rencontré au garage, lorsque j'accompagnais les enfants à l'école et lui qui venait de rentrer à la maison ?

Cette vie était insupportable, mais j'avais peur de le quitter et de me retrouver seule face à cette lourde responsabilité.
J'avais honte de cette situation.
Ma famille étant loin, ne devinait pas du tout la grandeur de mon malheur.

J'étais une femme, chef d'entreprise connue et respectée à Tanger. J'étais présidente régionale d'une association de femmes chefs d'entreprises. J'étais également à l'époque présidente de Région d'une grande association internationale de services communautaires. Je devais préserver ma vie privée et garder pour moi mes problèmes personnels.
Cependant, mon mari faisait tout pour détruire tout ce que j'avais construit.

J'évitais de me rendre aux soirées bien arrosées pour ne pas être la risée de tous.
Avec une amie pharmacienne de Tanger, nous souffrions du même problème. Elle me disait, nos maris ont le devoir de passer les serpillières après chaque soirée. Pour cela, ils attendent le départ de tous avant de comprendre qu'ils doivent aussi rentrer chez eux.

Lorsqu'il buvait beaucoup, il devenait agressif et irrespectueux. Et j'en avais horriblement honte. Plusieurs fois, j'avais envie de le filmer pour lui montrer l'état d'ébriété déplorable dans lequel il se mettait, mais j'avais peur que cela l'enfonce dans une dépression nerveuse.

Un soir, il n'avait pas hésité à insulter mon franchiseur qu'il avait rencontré dans le hall d'un grand hôtel à Tanger. Ce franchiseur était mon seul fournisseur et il m'accordait de grands privilèges : des avoirs de marchandises, des délais de livraison importants… etc.

Il voulait toucher à mon activité professionnelle pour que je ne sois pas autonome financièrement.

Heureusement que mon franchiseur n'a pas tenu compte de ses propos.

Combien de fois, je suis sortie de grandes soirées les larmes aux yeux !

Combien de fois, il n'a pas hésité à m'humilier devant mon personnel ou devant mes amies ou devant mes clients !

Je simulais toujours des douleurs au ventre pour rentrer tôt chez moi avant que son état ne devienne ingérable.

Mais ça ne servait à rien, car il me déposait à la maison et ressortait finir sa soirée seul.

Il était devenu dangereux pour moi, pour mon activité professionnelle et pour mes enfants.

J'avais peur de demander le divorce et de subir ses représailles.

J'avais peur qu'il me fasse des scandales dans mon lieu de travail.

J'avais peur aussi qu'il fasse un accident à cause de ses états d'ébriété prononcés.

J'avais peur qu'il me brutalise ou qu'il brutalise nos enfants.

Je vivais avec ces peurs.

Je faisais semblant d'être heureuse, mais j'étais déchirée intérieurement.

Un soir, il avait menacé de tuer notre chien Kiwi. Ma fille en était terrorisée. Elle le faisait dormir dans son lit pour le protéger.

Le pire dans cette histoire est que je payais les pots cassés.

Plusieurs fois, sachant qu'il était mon mari, des restaurateurs ou des gérants de bars, me déposaient à neuf heures du matin à mon lieu de travail ses factures pour que je les paye.
Je payais docilement et rongeais ma colère.

Combien de fois, j'ai failli y passer.

Un jour, complètement saoul, il m'avait giflé et crevé mon tympan, car j'avais jeté sa bouteille d'alcool. L'ORL m'avait délivré un certificat médical, mais je n'ai jamais pu l'utiliser contre le père de mes enfants.

Un jour, il m'avait projeté contre une baie vitrée. Les débris de verre m'avaient perforé le dos. Heureusement que mon coussinet de graisse du dos avait servi pour amortir le choc.

Une autre fois, il m'avait poussée dans la baignoire. Mon dos était complètement plié. Il aurait pu me casser ma colonne vertébrale.

Mais le pire cauchemar était lorsque je lui avais demandé le divorce : il m'avait étranglée devant mes enfants qui pleuraient tous les trois en le suppliant de ne pas me tuer. Il m'avait lâchée au moment où je perdais connaissance. Mon fils aîné avait appelé notre voisin médecin pour m'examiner. Ce dernier n'avait pas deviné que j'avais été étranglée et que je manquais d'oxygène. Il pensait que c'était un malaise vagal.

Je n'ai jamais voulu porter plainte contre lui, car il était le père de mes enfants. Et je ne voulais pas que mes enfants soient appelés à témoigner de la violence de leur père devant un tribunal.

Je pleurais dans ma chambre, je prenais mes enfants dans mes bras, les rassurais, lavais mon visage, me remaquillais et retournais au bureau comme si de rien n'était. Alors, que mon intérieur était rongé par une colère incommensurable.

Le seul moyen qui me permettait d'évacuer cette colère était la danse orientale.

Parfois, je m'enfermais dans ma chambre pendant des heures et je dansais devant le miroir. Je dansais sans me rendre compte ni du temps passé ni de l'espace.

Je convertissais cette colère en sueur.

Cette passion pour la danse m'avait d'ailleurs motivée à m'inscrire à des stages professionnels internationaux de danse qui m'avaient permis de rencontrer des femmes remarquables venues du monde entier.

La plupart de ces femmes étaient Européennes et Américaines.

Elles dansaient beaucoup mieux que les participantes maghrébines, car elles avaient de solides bases de danse classique et contemporaine.

J'ai pu danser avec Leila Jovanna une magnifique Colombienne mariée à un Allemand, Alexandra alias Aziza Abdul une très jolie et talentueuse Italienne mariée à un Irakien, Zaza Hassan un excellent danseur égyptien...

J'y allais exclusivement pendant le mois de Ramadan, car mon mari ne buvait pas d'alcool pendant ce mois sacré. Il pouvait superviser les enfants.

De toutes les façons, Naima s'en occupait très bien. Le chauffeur les accompagnait à l'école. Je demandais à ma mère de venir de Casablanca pour rester avec eux. Son rôle était de cadrer les enfants et d'éviter qu'un accident n'arrive ou de gérer les urgences.

Je n'oublierai jamais le jour quand, après une bringue de quarante-huit heures, il s'était pointé chez une amie Psychiatre de Tanger. Il avait peur de rentrer à la maison.

Peur de qui et de quoi ?

Pour une fois, il avait conscience d'avoir dépassé la ligne rouge.

En discutant avec mon amie, il avait fait un malaise qui allait lui causer un coma éthylique. Mon amie m'a appelée d'urgence pour appeler une ambulance et l'emmener à une clinique de Tanger. J'ai appelé un cardiologue connu et un psychiatre d'une très grande notoriété pour son suivi médical. Il s'en est sorti indemne.

Mais la pauvre Salwa a dû régler la facture de la clinique. Pauvre de moi !

Mes principes ne me permettaient pas de l'abandonner dans cette clinique.

De plus, j'espérais que cet incident soit une belle leçon pour lui pour qu'il arrête définitivement de boire.

Le pire est que, tous ces médecins qui le suivaient pensaient que j'étais la principale cause de son alcoolisme. Il les manipulait tellement qu'ils y croyaient.

Or, son problème est bien antérieur à notre rencontre.

Il manipulait tout le monde même ma mère en lui parlant de mes dépenses excessives. Il avait l'art et la manière de charmer les gens et de me faire passer pour la principale responsable de son mal-être.

Il m'a fallu de longues années pour comprendre que j'étais mariée au profil type du Pervers narcissique.

Il ne cessait de me dévaloriser. Il m'appelait « la touriste » à la maison, pourtant c'était moi qui faisais les courses, qui m'occupais des enfants, de la maison, des invitations... etc. Certes j'avais Naima, cet ange tombé du ciel pour me donner un sacré coup de main dans ma vie, mais j'étais réellement le chef d'orchestre de la famille. Je mettais au service de la famille ma santé, mon argent, mon temps, le personnel de la société, les véhicules de la société... etc.

En juillet 2006, j'ai loué un appartement sur la côte nord du Maroc à Marina Smir.

J'étais à côté de mes amies qui avaient des maisons dans ce site balnéaire. Et j'étais surtout à une heure de route de mon lieu de travail. Je pouvais faire des aller-retour au bureau et laisser les enfants profiter de la mer ou de la piscine de l'hôtel Sofitel.

Durant ces vacances, j'avais fait la rencontre d'une Française, ancien professeur de français dont le mari était diplomate. Elle s'appelait Magalie. Nous avions sympathisé.

Au fil de nos échanges, elle m'avait appris qu'elle avait des dons médiumniques et qu'elle faisait des tirages de Tarot de Marseille.

J'étais curieuse de ce qu'elle allait me dévoiler.

Elle m'a appris que j'allais découvrir plusieurs choses sur mon mari qui allaient me pousser à demander le divorce. Que j'allais avoir le courage de mener ma barque de responsabilités toute seule et sans aucune difficulté.

Elle m'avait certifié que mon mari allait par la force de l'univers être éloigné de moi à l'étranger et que j'allais me remarier et connaître l'amour à deux reprises.

Elle m'a parlé d'un long cursus d'études que j'allais entreprendre et qui allait constituer ma prochaine profession.

Après cette séance, je suis restée perplexe !

Avait-elle raison ?
Devais je croire ses propos ?
En tous les cas, ses propos me rassuraient par rapport à deux choses importantes dans ma vie :

1- Que je pouvais gérer ma famille toute seule sans la présence de mon mari.
2- Que j'allais rencontrer l'amour et vivre une nouvelle expérience.

À l'idée que mon cœur allait encore palpiter d'amour, j'en avais les joues toutes roses et j'étais motivée pour avancer sur mon chemin en menant toutes les batailles que je puisse rencontrer.

La vie nous en dira plus et nous prouvera que Magalie avait raison sur toute la ligne.

À chaque fois que j'abordais le sujet du divorce avec mon mari, en manipulateur expert, il rentrait dans des états colériques incontrôlables : combien de fois, ai-je reçu un cendrier en cristal sur la tête !

Combien de fois, il m'a cassé tous mes flacons de parfum que je collectionnais avec amour dans une vitrine dans ma chambre à coucher !

Combien de fois, il n'a pas hésité à me donner une gifle ou un coup de poing.

Mes enfants en ont gardé quelques douloureux souvenirs !

Nous en avions parlé quelques années plus tard, ils en souffrent toujours.

J'étais assez forte, mais je ne souhaitais pas le violenter, car avec la puissante colère qui me rongeait j'aurais pu l'envoyer à l'au-delà.

Je restais patiente, courageuse, persévérante et je subissais, car je sentais que je n'étais pas encore prête de le quitter. J'étais prise au piège : j'avais tissé avec lui des liens presque maternels. Comme un enfant handicapé, je n'avais pas le courage de l'abandonner.

Je vivais les conséquences du syndrome de Stockholm.

Il poussait mes limites à bout.

Ses fugues devenaient plus fréquentes et plus longues.

Durant des vacances de Pâques de l'année 2007, je souhaitais aller passer quelques jours de vacances à Marrakech avec lui et les enfants. Il a refusé de nous accompagner prétextant un voyage professionnel en Espagne.

Il avait éteint son téléphone et avait disparu pendant quinze jours sans laisser un sou à la maison. Il n'avait jamais pris la peine de prendre de nos nouvelles durant ce séjour.

J'étais morte d'inquiétude. Je posais la question à ses amis, à ses chauffeurs, à ses partenaires professionnels… Personne ne savait où il était.

J'avais une amie assureur, elle m'avait dit : ne t'inquiète pas, s'il a eu un accident sur la route, aussi bien au Maroc qu'à l'étranger, tu serais la première à être informée par son assureur.

Quinze jours après, il est rentré de voyage comme si de rien n'était.

En rangeant ses affaires dans son armoire, je suis tombée sur un ticket de caisse d'un super marché. Il était écrit en Hollandais. Donc, il était parti en voyage pendant 15 jours en Hollande sans en aviser sa famille ! C'était inimaginable !

Depuis, je ne lui faisais plus confiance.

Comme c'était moi qui réglais ses factures de Maroc télécom, j'ai commencé à décortiquer la facturation détaillée. Avec un stylo fluorescent, je marquais tous les numéros qui se répétaient. Je les ai tous appelés : c'était toutes des femmes et apparemment des filles de joie vu l'intonation, la musicalité de leur voix et la qualité de leur langage.

Mon mari me trompait !

Avant, c'était avec la bouteille ! Je me disais c'est une maladie !

Mais maintenant, il me trompe avec des filles de joie.

J'avais tout essayé pour le rendre heureux. Et pourtant, il avait osé rompre le pacte de la fidélité !

Je faisais tout pour le satisfaire. J'ai été même chez un chirurgien plasticien pour me faire une lipostructure du corps.

Je me suis fait poser des implants mammaires.

Ces deux opérations m'ont coûté au moins cent-mille dirhams que j'ai financé de mes économies.

Il ne pouvait pas me reprocher d'être grosse ou laide.

D'ailleurs pour ces deux opérations, il était d'accord.

Il m'a même accompagnée à la clinique et m'a promis de revenir le soir une fois réveillée de l'anesthésie.

Nous étions venus de Tanger à Casablanca dans ma voiture qu'il avait d'ailleurs gardée pour circuler.

Sauf que je n'ai plus eu de ses nouvelles pendant trois jours.

Ma mère n'étant pas au courant de cette opération, j'ai dû prendre un taxi et aller passer quelques jours chez une amie française Ghislaine.

Ma sœur Wafaa, médecin, venait tous les jours me faire des injections d'anticoagulant.

Elle et Ghislaine étaient scandalisées par son comportement.

Antoine, mon ex-patron, qui était venu de Paris, est venu me voir chez cette amie. Il était également choqué que mon mari m'ait oubliée et n'a pas cherché à prendre de mes nouvelles.

Finalement, mon mari s'était pointé trois jours après chez Ghislaine.

Il nous a annoncé qu'il avait égaré la voiture quelque part en ville.

Après plusieurs investigations et coups de téléphone, j'avais découvert que mon mari avait mal garé la voiture dans une rue piétonne à Casa et que la dépanneuse l'avait embarquée à la fourrière.

Cette histoire m'a encore coûté mille dirhams de pertes sèches pour une erreur que je n'ai pas commise.

Bien évidemment, il ne pouvait pas les payer : tout son argent s'était évaporé en alcool et en femmes de joie.

Sans vouloir faire preuve de prétentions, tous les hommes se retournaient à mon passage et la majorité des femmes étaient jalouses de moi tellement j'étais jolie et attirante.

J'avais une société qui marchait bien à Tanger. Je gagnais bien ma vie. J'avais une bonne réputation et une belle notoriété.

Que cherchait-il de plus ?

Pour quelle raison devait-il aller voir ailleurs ?

Un jour du mois de septembre de l'an 2006, mon fils Amine âgé de huit ans cherchait son téléphone portable que je lui avais acheté. Il a pris le téléphone de son père pour appeler son numéro. Il a trouvé Amine dans le répertoire de son père.

Il a appelé ce numéro, mais à sa grande stupéfaction, c'est une femme qui a répondu.

Mon fils m'a fait part de cet incident. Je lui ai demandé de me montrer ce numéro et je l'ai appelé. Je savais qu'une Amina allait me répondre.

Je lui ai parlé comme si je la connaissais :

« Bonsoir Amina, comment vas-tu ? J'espère que tu vas bien. »

Je la laissais parler pour essayer de détecter son identité à travers sa voix.

Je connaissais cette voix, mais il fallait faire preuve d'une grande perspicacité pour savoir qui se cachait derrière. Puis j'ai enchaîné :

« Je suis désolée, chère Amina, comme j'ai plusieurs Amina dans mon répertoire, tu es laquelle d'entre elles ? »

Sans hésiter, elle me donne son nom complet.

En effet, je la connaissais, c'était même une cliente de mon magasin.

Elle n'était pas belle. Elle était même plus âgée que moi. Elle venait de perdre son mari suite à une maladie grave.

Mon mari s'était, sans aucun doute, chargé de la consoler.

En lui annonçant que Mme Amina lui passait son bonjour, il est devenu livide tel un cadavre, des gouttes de sueur apparaissaient sur son front, il était réellement déstabilisé. De plus s'il avait été honnête, je ne vois pas pour quelle raison il aurait noté son numéro avec le Pseudo Amine. Ça puait donc la tromperie !

Je dois vous préciser que la loi qui régissait de code de la famille au Maroc ne jouait pas en faveur des femmes avant l'année 2005. Il fallait justifier la demande de divorce et l'appuyer avec des preuves concrètes : des certificats médicaux prouvant des cas de violences conjugales, des témoins oculaires prouvant les cas d'adultère, les photos prouvant que le conjoint est en compagnie de femmes autres que son épouse légitime, des factures d'hôtels…

Mais grâce à notre Roi Mohammed VI que Dieu le glorifie, qui portait la cause de l'émancipation de la femme marocaine en son cœur, la moudawana a été remplacée en 2004 par le code de la famille. Celui-ci donnait enfin à la femme marocaine le droit de demander la dissolution du mariage si elle arrivait à convaincre le juge de la nécessité de sa demande. Et c'est le juge qui dissout le contrat de mariage même dans le cas où le conjoint n'est pas consentent.

Avant, j'avais honte des dérapages de mon mari et de son alcoolisme.

Je n'osais pas en parler et devoir prouver qu'il me trompait ou qu'il faisait preuve de violences conjugales.

Ce changement de la loi m'a motivée pour enfin me décider à entreprendre cette procédure.

Tout de suite après avoir eu cette discussion avec cette Amina, j'ai appelé mon avocate qui avait laissé en suspens une procédure de dissolution de notre mariage que j'avais entamée quelques mois plus tôt, mais j'avais abandonnée par manque de courage.

Je lui ai demandé de reprendre le dossier et de mener la procédure jusqu'au bout, car cette fois-ci, j'étais sûre de ma décision.

À partir de ce soir, mon mari fut chassé de notre chambre conjugale.

Il a dormi au salon, jusqu'à la notification de notre divorce.

Le juge nous a écoutés à huis clos, je lui avais expliqué que je souhaitais divorcer de mon mari à cause de son addiction à l'alcool, son manque de maturité face à la lourde responsabilité de ses trois enfants, son manque d'implication dans les dépenses familiales... etc.

Le juge m'avait écoutée religieusement. On lisait dans son regard de la compassion et de l'incompréhension. Il s'était retourné vers mon mari et l'avait sermonné en lui précisant que je ne réclamais que ce qui était logique et en mon droit. Il a rajouté que les femmes de mon niveau intellectuel, social, culturel et avec autant d'atouts physiques, ne couraient pas les rues.

Un mois après cette dernière audience, mon avocate m'a avisée que le jugement était rendu et que le juge avait approuvé ma demande de dissolution de mariage.

Notre divorce était prononcé le 26 mai 2006.

En apprenant cette nouvelle, il fallait que je me retrouve seule.

Je me suis dirigée vers le Phare de Malabata, j'ai garé ma voiture en face de la mer et j'ai pleuré toutes les larmes de mon corps.

Durant deux bonnes heures, j'ai réalisé que le calvaire avait pris presque fin. Il restait encore une étape importante : lui faire comprendre qu'il devait quitter notre appartement.

Tout était en mon nom : le Loyer, les factures de la Sté de distribution de l'eau de l'électricité Amendis, les factures de téléphone… etc.

Comment allait-il vouloir quitter ce petit palais dans lequel il vivait royalement aux frais de la Princesse ?

Ce jour-là, mon ex-mari a failli tout casser à la maison : vases, cendriers, meubles, télévision…

J'avais appelé une amie psychiatre qui l'avait appelé pour le calmer et surtout pour lui rappeler qu'il serait poursuivi en justice pour toute agression ou tout acte de destruction chez moi.

Il m'a alors demandé de le laisser dormir au salon jusqu'à ce qu'il reçoive par huissier de justice la notification du jugement de dissolution de mariage.

J'ai bien sûr accepté, à la seule condition, qu'il ne me cause pas de scandale à la maison et qu'il soit gentil avec les enfants.

J'avais perdu ma bataille contre l'alcoolisme de mon mari.

À partir de ce 26 mai 2006, ce n'était plus ma bataille. C'était devenu la sienne.

Je l'avais assez materné pendant ces longues années de mariage.

Il était donc livré à lui-même depuis ce jour.

Je devais relever ma tête, avaler mon orgueil, ranger mon ego dans un tiroir, annoncer à tous que je venais de divorcer après plus de dix-huit ans de mariage.

J'avais d'autres batailles à mener et à gagner surtout.

J'ai peut-être raté ce mariage, mais je devais à tout prix progresser professionnellement, je devais réussir l'éducation de mes trois enfants et essayer de penser à ma vie qui était ternie par ce maudit alcool.

La phrase de Nietzsche me poursuivait partout : « Ce qui ne tue pas rend plus fort ».

J'étais encore en vie. Mes enfants l'étaient également.

Je devais absolument faire preuve d'une grande sagesse pour mener mon bateau à bon port.

Chapitre 4
Ma bataille contre les croyances limitantes de la société marocaine

Être une femme divorcée à Tanger en 2007 était difficile à vivre pour une jeune et belle femme, chef d'entreprise et ayant plusieurs responsabilités dans plusieurs associations connues dans le pays.

Sans faire preuve de prétention, j'ai toujours été une femme coquette, j'aime me maquiller, porter de jolies toilettes, me parfumer... etc.

Depuis ma tendre jeunesse, j'harmonisais toujours les couleurs et les textures des tissus que je portais et cherchais toujours à apparaître en mon avantage.

Avec mon divorce qui faisait la une de tous les rassemblements tangérois, j'étais devenue, pour les hommes, une belle proie à chasser.

Pour les femmes, j'étais devenue une ennemie redoutable à éviter de fréquenter.

Le plus étonnant, c'est que j'ai commencé à recevoir dans mon magasin, les couples ensemble alors qu'avant mon divorce, les hommes pouvaient choisir leurs mobiliers de maison ou de bureaux sans devoir être accompagnés par leurs épouses.

Les femmes cherchaient à sauvegarder leur patrimoine donc surprotégeaient leurs conjoints.

J'en riais intérieurement.

J'avais envie de leur crier, cessez ce petit jeu : un homme qui décide de tromper son épouse, le fera avec ou sans son consentement.

Les hommes marocains sont facilement influençables par la beauté des femmes.

Ils ont constamment besoin de prouver qu'ils gardent encore leur pouvoir de séduction.

Les épouses sont leurs acquis. En revanche, les autres femmes constituent le savoureux dessert qu'ils peuvent se permettre de temps en temps.

Et comme dirait la blague : « La raison qui pousse un homme à ne pas tromper sa femme, c'est le manque d'occasion ! »

Avec certaines femmes de Tanger, nous formions avant mon divorce un groupe soudé.

Nous organisions à tour de rôle des dîners avec nos conjoints.

Nous faisions avec nos conjoints et nos enfants des sorties à la forêt diplomatique de Tanger ou au restaurant ou au Club Robinson à Achakar.

Depuis l'annonce de mon divorce, j'étais écartée de ces sorties.

Comme je le pense souvent : l'ennemi de la femme, c'est la femme.

De toute évidence, je devais trouver d'autres centres d'intérêt : pratiquer du sport, m'inscrire dans un cycle d'études de coaching et d'autres disciplines, développer un cercle d'amis en dehors de Tanger…

Mon ex-mari n'était pas complètement écarté de ma vie.

J'avais besoin d'être rassurée par rapport à sa nouvelle vie. Je l'ai encouragé à louer un bel appartement et je me suis engagée à le lui meubler pour qu'il puisse recevoir les enfants dans un cadre agréable.

Je tenais à garder de bons rapports avec lui pour garantir un équilibre psychologique à mes enfants.

Dans notre jargon marocain, je me suis comportée avec lui comme une bente nasse c.-à-d. d'une façon très cordiale.

Je me suis inscrite à un cycle de coaching à Casablanca.

Je partais un week-end par mois pour suivre ma formation que je trouvais très intéressante.

J'y ai rencontré de nouveaux amis très agréables et ouverts d'esprit.

Nous organisions des réunions de paires régulièrement autour d'un dîner convivial.

C'était devenu une bouffée d'oxygène pour moi.

Je venais à Casablanca souffler.

J'y avais même acheté un appartement que j'avais meublé avec goût pour pouvoir venir me reposer parfois seule et parfois avec mes enfants, et ce sans m'imposer à ma mère.

Pendant mes déplacements pour ma formation, les enfants restaient à Tanger avec leur nounou Naima. Celle-ci était un ange sur terre.

Elle s'en occupait comme si c'étaient ses propres enfants.

Le chauffeur les accompagnait à leurs activités scolaires et extrascolaires.

Leur papa pouvait venir leur rendre visite pendant la durée de mon déplacement.

Notre vie s'organisait de mieux en mieux. Chacun de son côté. Mais mon ex-mari gardait toujours l'espoir que nous puissions nous remettre ensemble un jour.

D'ailleurs, il avait programmé un voyage en Espagne en août 2007. Il m'avait demandé de réfléchir à l'éventualité de nous remarier après son retour.

J'étais venue à Casablanca pour passer quelques jours de vacances avec ma famille.

Et pendant que je faisais ma marche sur la corniche avec une amie Coach et je lui avais fait part d'un rêve prémonitoire.

J'avais rêvé qu'on emmenait mon ex-mari en prison avec des menottes. Elle m'a réconfortée en me disant que c'était un simple cauchemar.

Voyant qu'il ne donnait pas signe de vie, deux jours après, j'avais demandé à une amie, travaillant au consulat du Maroc à Algésiras de me renseigner.

J'avais la forte intuition que quelque chose de grave lui était arrivé.

Après avoir fait ses investigations auprès des hôpitaux, des commissariats de police, de la gendarmerie, mon amie était revenue vers moi avec une nouvelle qui allait bouleverser ma vie et celle de mes enfants.

Mon ex-mari était incarcéré dans la prison de la ville d'Algésiras.

Je n'en revenais pas. Je pleurais. Je riais. J'étais dans le déni. Je refusais d'accepter cette nouvelle.

Apparemment, celui-ci avait été victime d'une grande machination orchestrée par son mécanicien qui lui a placé de la résine de cannabis dans le coffre de sa voiture et soudé une paroi en tôle pour cacher cette drogue.

J'avais l'impression de vivre un cauchemar.

Mais conseillée par une amie de Tanger, mon amie d'Algésiras a pu me prendre rendez-vous avec un avocat espagnol que j'ai rencontré deux jours plus tard. Cet avocat a pu me prendre rendez-vous avec mon ex-mari à la prison pour essayer de comprendre ce qui se passait et comment nous pouvions l'aider à s'en sortir.

Ses honoraires étaient exorbitants : 10 000 euros à verser en deux tranches. 5000 euros, en lui confiant le dossier et 5000 euros avant l'audience.

Je n'avais pas le choix, je m'étais donc empressée de lui verser la première partie.

La voiture, une Citroën C5 achetée neuve avec quelques centaines de kilomètres à son compteur, a été saisie avec cette prise par les services de Douane espagnols.

Mon ex-mari a nié en bloc cette accusation. La marchandise (33 kilos) trouvée dans sa voiture ne lui appartenait pas.

Elle appartenait au mécanicien qui comptait sans aucun doute, lui voler sa voiture, une fois la douane passée.

L'avocat a été clair : si je ne pouvais pas prouver son innocence, mon ex-mari écoperait pour environ 40 mois de prison ferme pour cette quantité saisie.

En arrivant à Tanger, j'avais l'impression que toute la ville était au courant de cette histoire dramatique.

J'étais rongée par des émotions divergentes : la colère, la tristesse, la rage, la honte, la culpabilité…

Est-ce de ma faute ? Pendant que j'étais son épouse, je le protégeais beaucoup.

Quelques mois après notre divorce, il s'est fait prendre pour une raison qui est peut-être indépendante de sa volonté !

La première chose que j'ai faite le lendemain, j'ai été au commissariat de police pour déposer plainte contre ce mécanicien. J'avais son nom, l'adresse de son atelier.

J'ai également pris contact avec un avocat à Tanger qui m'avait certifié qu'il avait l'habitude de ce genre de procès à Tanger. Il m'avait promis de faire tout son possible pour prouver l'innocence de mon ex-mari. L'avocat marocain a été moins gourmand que son homologue espagnol. Il m'a exigé la somme de 20 000 dirhams pour couvrir les frais de la procédure et surtout pour activer le dossier et essayer de prouver que le mécanicien est le principal responsable de cette opération.

Dès que la police a commencé à effectuer son enquête, j'ai commencé à recevoir des appels téléphoniques anonymes me menaçant de laisser tomber mes plaintes ou de devoir subir le même sort que mon ex-mari. Ils m'ont menacé de déposer dans mon magasin des colis de résine de Cannabis et de kidnapper mes enfants.

Je vivais des moments de terreur.

Étais-je réveillée ou était-ce un cauchemar en plein jour ?

Une deuxième plainte était déposée pour ces appels de menaces.

Apparemment, ma ligne téléphonique était mise sous écoute pour essayer de repérer qui était l'auteur de ces appels.

La police n'a rien trouvé dans l'atelier du mécanicien.
Apparemment, ils ont eu le temps de tout nettoyer et de camoufler toute preuve pouvant les incriminer.

Le dossier a été clos. L'avocat marocain n'a pas pu prouver l'innocence de mon ex-mari.

L'avocat espagnol attendait les suites de l'enquête de la police marocaine. Il a fait de son mieux, mais mon ex-mari a été condamné à une peine de prison ferme de quarante mois avec une forte amende de six chiffres.

J'ai reçu cette nouvelle comme un coup de massue. Comment allais je annoncer la nouvelle à mes enfants ? Comment vivre cette condamnation face à la société marocaine qui ne pardonne pas ce genre de délits ? Comment allais je gérer ma vie, celle des enfants avec ce drame ?

Je me suis refermée sur moi-même. J'ai dû acheter un autre véhicule, embaucher un autre chauffeur pour qu'il s'occupe exclusivement des accompagnements de mes enfants. Il avait pour mission de les déposer à l'école et d'attendre que les portes de celle-ci se referment avant de bouger. Et de retour, il devait attendre que les enfants entrent dans l'ascenseur et rentrent à la maison avant de démarrer.

J'avais trop peur qu'on kidnappe mes enfants.

Je vivais tristement cette épreuve comme si j'en étais la principale accusée.

J'ai décidé de suivre une psychothérapie à Casablanca.

Je ressentais le besoin d'avoir un espace protégé pour parler de ce drame et pour extérioriser mes émotions.

Sans souffrir du complexe de l'étranger, j'ai tenu à ce que ma thérapeute soit Française.

Avec ce choix. Je me sentais rassurée pour ouvrir mon cœur et parler de mes problèmes sans, pour autant, être jugée.

Je continuais mes cours de coaching à Casablanca. J'avais même réussi mes examens.

Je n'en parlais pas autour de moi.

Mes amies ne m'en parlaient pas.

C'était un sujet tabou.

J'avais demandé aux enfants de dire autour d'eux à l'école que leur papa vivait à l'étranger : chose qui était vraie.

Un jour un ami Mounir était venu me rendre visite au bureau.
Je le connaissais depuis plus de quatorze ans dans le cadre de mon association internationale. C'était un homme de la Cinquantaine d'année, marié et père de famille.
Il était très courtois, très gentil et d'un grand Altruisme. Toujours souriant, il inspirait confiance.
Je pensais qu'il avait besoin d'acheter des meubles. Je lui avais offert un café et pendant que nous discutions de notre association et de nos actions caritatives, il m'avait appris qu'il était au courant du problème de mon ex-mari et que je pouvais compter sur lui au cas où j'avais besoin d'une aide quelconque.

Cet ami commençait à venir me voir régulièrement au bureau.
Je pensais que c'était de l'empathie débordante.

Un jour, en sortant de l'Agora, le centre de conférences dans lequel je suivais mes cours de Coaching à Casablanca, je l'ai trouvé devant la porte en train d'attendre.
Étonnée de le voir à Casa, il m'a annoncé franchement qu'il était venu me voir pour me parler d'un sujet important.

Il m'a demandé de le retrouver dans son bureau sis sur le boulevard d'Anfa pour discuter à tête reposée.

Je n'avais aucune idée du sujet qu'il souhaitait aborder avec moi.

Je pensais que c'était en rapport avec les actions de notre association.

Je l'ai rejoint vers 19 h en toute confiance.

Nous avions discuté durant des heures sans nous rendre compte du temps passé.

Cet ami m'avait confié qu'il était malheureux en couple depuis de longues années et qu'il souhaitait se remarier.

Après trente-deux ans de mariage, il ne pouvait plus supporter sa vie avec son épouse qui suite à un drame dans leur famille, était devenue dépressive et se donnait corps et âme à son travail sans lui accorder la moindre importance.

Il se sentait abandonné.

Lui aussi avait vécu le même drame que son épouse, lui aussi avait donc besoin d'être écouté et réconforté.

Perdu dans sa tristesse, il avait décidé de trouver une partenaire qui l'aime et qui le rende heureux.

Je l'ai écouté avec bienveillance, mais je ne comprenais pas pourquoi il me racontait les détails de sa vie.

Il a enchaîné qu'il m'avait toujours admirée de loin, mais étant mariée, il me respectait et ne pouvait me dévoiler ses sentiments.

Maintenant que j'étais divorcée et que mon ex-mari était éloigné pour au moins trois ans, il pouvait me faire part de ses sentiments et me demander de l'épouser.

Je recevais trop d'informations à la fois après une journée de séminaire.

Je sentais que mon cerveau allait exploser.

Ma seule question était : « Et ta femme ? Qu'en pense-t-elle ? »

Il m'a assuré qu'elle ne s'opposerait pas à son mariage et qu'elle signerait sans aucun souci l'autorisation lui donnant son accord pour une deuxième épouse.

Ma réponse fut claire et concise : « Qui t'a dit que je suis d'accord pour remplir le rôle de deuxième épouse ? Nous ne sommes pas au moyen âge cher ami et je suis contre la polygamie. »

Il riposta : « dans ce cas je ferai tout pour obtenir mon divorce pour t'épouser si tu es bien évidemment d'accord ».

Étant fatiguée, j'ai pris congé sans lui offrir aucune note d'espoir et lui ai demandé de rentrer chez lui et de résoudre ses problèmes de couple avec sa femme. Et s'il avait éventuellement besoin d'un coach de vie pour les aider à mieux communiquer avec elle, je pouvais remplir ce rôle.

En revenant à Tanger, j'avais demandé aux agents de sécurité de mon magasin de ne plus le laisser rentrer à mon bureau en prétendant que j'étais absente.

J'avais assez de problèmes dans ma vie pour m'en rajouter d'autres.

Le lundi suivant, j'ai reçu un appel téléphonique de son épouse.
« Bonjour, Salwa, je souhaite te parler d'un sujet important. »
N'ayant rien à me reprocher, j'ai accepté de la rencontrer dans un lieu public.

Nous avions décidé de marcher toutes les deux sur la corniche de Tanger en discutant.

Me prenant pour une gourde, elle a commencé par me dire : « Je pense que mon mari a une maîtresse... » Je l'avais tout de suite arrêtée en lui disant : « Tu es une femme intelligente et je pense l'être aussi. Arrivons au vif du sujet et fais-moi savoir que me vaut l'honneur de cet appel et de cette rencontre. »

Elle m'a affirmé qu'elle avait appris de son mari qu'il était amoureux de moi et qu'il souhaitait m'épouser.

Je lui ai répondu en toute clarté : « Ton mari n'a pas de maîtresse. Ton mari est très malheureux avec toi et il a l'intention de se remarier. Si ce n'est pas avec moi, ce sera avec une autre femme. »

J'ai enchaîné : « Je ne partage pas avec ton mari les mêmes sentiments ni les mêmes intentions. Sois-en rassurée. Pour l'instant, j'ai d'autres chats à fouetter. Donc, écartez-moi tous les deux de votre viseur. »

J'ai compris qu'elle n'était pas tellement surprise de mes réponses.

J'ai poursuivi ma réponse bienveillante : « Si vous avez des problèmes de communication, je suis prête à vous coacher tous les deux et à vous aider à trouver avec vous une solution à votre couple sans être obligée d'être partie prenante ».

Elle m'a avoué qu'effectivement, elle ne faisait aucun effort pour remplir ses devoirs conjugaux envers son mari et qu'elle était prête à accepter qu'il prenne une deuxième épouse.

Étonnée de sa réponse, elle a continué : « Je sais qu'il est amoureux de toi Salwa.

Et ça me fait plaisir qu'il t'ait choisie toi plutôt qu'une autre, car tu es une fille de bonne famille, tu es intellectuelle et mère de famille. Donc, si tu acceptes de l'épouser, je vous signerai sans aucune réticence l'autorisation de mariage. Nous nous organiserons de façon à ce qu'il passe un jour chez toi et un jour chez moi. »

J'ai dû m'arrêter de marcher pour m'assurer que cette femme était sérieuse ou si elle n'essayait pas de se moquer de moi.

Elle était réellement sérieuse. Et c'est ce qui m'a poussée à la regarder avec beaucoup d'empathie et de lui répondre :

« Nous ne sommes pas au moyen âge chère Karima. Si ton mari décide de se remarier, c'est qu'il est très malheureux avec toi. Essayez de trouver tous les deux, un terrain d'entente et essayez de trouver une solution qui ne me concerne pas, car jamais je n'accepterai de ma vie d'être la deuxième épouse dans la vie d'un homme, aussi important, beau et riche soit-il. »

Je l'ai quitté en l'embrassant et en lui souhaitant tous mes vœux de bonheur et de prospérité dans sa vie.
Pour ma part, ce sujet était clos et je n'avais aucune idée que j'allais entamer une nouvelle bataille à cause de cette histoire.

J'avais vaqué à mes occupations, je continuais de me rendre à mon show-room, je continuais de m'occuper de mes enfants, de mes loisirs… J'avais entrepris un cycle de formation en Process-communication.

J'emmenais mes enfants rendre visite à leur père une fois par mois à Algésiras.
Nous appelions ce lieu l'hôtel. Après chaque visite, je revenais malade.
Le bruit des portes en fer qui s'ouvrent et qui se referment retentissait en permanence dans ma tête. J'avais des migraines atroces.

Je ne voyais avant les prisons que dans les films : L'évadé d'Alcatraz ou Midnight Express ou encore Vol au-dessus d'un nid de coco.

Hélas, ce n'était pas un film. C'était bien la pure et réelle réalité.

Chaque voyage avec mes enfants me coûtait au moins 15 000 dirhams.

Nous prenions le bateau pour traverser le détroit, nous passions la nuit dans le Globales Reina Cristina hôtel, un hôtel central qui offre de belles commodités. Nos rendez-vous étaient fixés à la première heure le matin. Je leur achetais des cadeaux pour leur remonter le moral et je leur achetais aussi des cadeaux à offrir à leur père.

Je fonctionnais comme un automate : tout était programmé et je devais penser à tous les détails.

Je savais que ces visites étaient éprouvantes pour mes enfants, mais je ne voulais pas les priver de voir leur papa.

Les responsables de la prison nous recevaient dans une salle dans laquelle il y avait des fauteuils, une table sur laquelle étaient posés des boissons, des biscuits pour les enfants.

Les autorités espagnoles faisaient de grands efforts pour accompagner les détenus sur le plan psychologique.

D'ailleurs, des chambres appelées cellules psychologiques étaient proposées toutes les quinzaines de jours aux couples mariés pour avoir un moment d'intimité.

Au niveau de la prison, ils pensaient que j'étais son épouse légitime.

Comme mon nom figurait sur le livret de famille. Je n'ai jamais eu à leur expliquer que nous étions divorcés. Sans ce livret de famille, je n'aurais pas pu lui rendre visite moi et les enfants.

Avec mon ex-mari, mes rapports avaient changé. Je me posais des millions de questions pour lesquelles je n'avais pas de réponses.

Oui, je savais qu'il buvait de l'alcool. Oui, je me doutais bien qu'il me trompait. Mais dealer dans la drogue, ce n'était ni de son niveau intellectuel ni de son éducation.

Le pire, c'est que je n'ai jamais obtenu une réponse claire et nette de sa part à mes interrogations. Il niait en bloc toutes les accusations dont il faisait l'objet.

Il nous envoyait régulièrement des lettres dans lesquelles il confiait à mes enfants qu'il les aimait et qu'il ferait le maximum pour sortir plus tôt que prévu et leur faire oublier ce calvaire.

Pour alléger sa peine, Abdellah avait demandé son transfert à la ville de Burgos. Ce qui m'a permis de réduire mes dépenses des déplacements à Algésiras.

En réalité, c'était sa façon de manifester son mécontentement suite à mon remariage.

Il continuait de me persécuter même de loin.

Donc pendant plus d'un an, nous ne l'avions pas vu.

Il nous téléphonait de temps à autre et il nous écrivait des lettres.

Pour ses besoins, je lui déposais dans un compte à Ceuta la somme de 300 euros par mois. C'était largement suffisant pour ses extras puisqu'il était pris en charge en all inclusive à « l'hôtel ».

En réfléchissant à ce drame, je me disais que finalement, la prison a été plus forte que moi et a pu le priver de l'alcool pendant cette durée d'incarcération. D'ailleurs, c'était une période de repos pour lui : pas de bringues, pas de travail, il faisait tous les jours son sport, bouquinait à la bibliothèque et comme il parlait plusieurs langues étrangères, il les aidait à l'administration pénitentiaire ce qui lui a permis de ramener sa peine de quarante mois à vingt-sept mois pour bonne conduite.

Pendant cette période, mon ami Mounir continuait de me poursuivre et d'insister pour m'épouser.

Sa femme se sentant menacée de perdre son mari avait fait circuler dans la ville de Tanger que Salwa voulait lui prendre son mari.

Plusieurs femmes de notre association internationale, qui nous connaissaient tous les deux, venaient me voir pour me supplier d'abandonner cet homme et de ne pas être la cause de sa séparation avec sa femme Karima.

Ce fut bien évidemment une ingérence dans ma vie privée.

Mais comme tout accusé à tort, j'avais essayé de me justifier d'autant plus que j'étais innocente de toutes ces accusations mensongères.

Comme dans toutes les petites villes du monde, l'information avait vite circulé et tout le monde me montrait du doigt alors que je n'y étais pour rien.

C'est cela le Maroc ! Comme dit l'adage arabe : « Lorsque la vache tombe, les couteaux aiguisés se multiplient ».

De plus, ce qui me scandalise dans notre cher pays, pourquoi accuse-t-on toujours la femme dans ce genre de situations ?
Et qu'en est-il de la responsabilité de l'homme ? Était-il innocent ?
Était-il incapable juridiquement ?
Lui a-t-on forcé la main ?
Dans mon cas, je n'étais pas amoureuse de Mounir et je n'avais jamais pensé ni l'épouser ni le fréquenter.
Pour quelle raison tout le monde s'attaquait à moi ?

J'ai donc appelé Mounir et je l'ai informé de ce que faisait sa femme Karima et que j'allais la poursuivre en justice pour ses propos diffamatoires.

Il en était perplexe. Il l'a sermonnée devant moi au téléphone en lui citant les noms des femmes chez qui elle avait été se plaindre.

Il lui avait annoncé durant la même conversation téléphonique que c'était la goutte qui avait fait déborder le vase et qu'en raison de son comportement puéril, elle avait réussi à détruire les derniers sentiments positifs qu'il éprouvait pour elle.

Le jour même, il avait contacté son avocat et avait entamé sa procédure de divorce.

Il m'avait appelée pour m'en informer et pour aussi obtenir mon approbation dans son projet de mariage.

Je lui avais donc promis que le jour où il serait libre de tout engagement, je pouvais prendre sa demande en mariage en considération et y donner suite.

C'était un homme intellectuel, doctorant en gestion, doté d'une excellente réputation et notoriété à Tanger, responsable, bienveillant, n'ayant aucun vice apparent… je n'avais rien à lui reprocher.

Il était heureux. Il avait tout fait pour activer cette procédure.

Il avait laissé à sa femme la grande villa sise sur la grande montagne dans laquelle ils habitaient avec leurs enfants.

C'était lui qui lui avait offert son officine. De plus, il lui avait cédé des actions dans une société importante.

Matériellement, elle était couverte.

Deux mois plus tard, son divorce avait été prononcé et il était libre.

Il vivait chez sa mère qui avait une grande villa dans un quartier résidentiel de Tanger.

Il venait me voir tous les jours. Nous prenions un café et je commençais à l'apprécier sincèrement, car il était d'une grande gentillesse et d'une grande délicatesse.

De plus, il me proposait son aide pour les enfants. J'étais sérieusement dépassée par les événements et son aide n'était pas de refus.

Il venait faire les devoirs de maths avec ma fille et faire faire les devoirs à Amine.

Il savait s'y prendre avec les enfants d'autant plus qu'il essayait de leur faire plaisir.

L'aîné passait son bac et s'apprêtait à aller étudier en Espagne.

Mes enfants l'ont vite apprivoisé et même aimé.

Ils le trouvaient hyper gentil et amusant.

Ils avaient besoin de ce modèle de père respectueux et bienveillant vis-à-vis d'eux.

Et moi j'avais besoin d'un bon mari qui me protège moi et mes trois enfants.

Comme j'avais reçu en cette période les fameuses menaces par téléphone, je me sentais rassurée avec lui à mes côtés.

Nous avions attendu que la période de viduité de trois mois après le divorce passe pour que nous puissions nous marier.

J'en avais avisé mon ex-mari par lettre. Je sais que c'était un choc pour lui, mais il fallait que je pense à mon bonheur et à celui de mes enfants. Mon ex-mari le connaissait et l'appréciait. Quelque part, il était rassuré que quelqu'un d'aussi correct s'occupe de ses enfants pendant son absence.

Mon nouveau mari était follement amoureux de moi. Il était aux petits soins. Il veillait sur mon bonheur et celui de mes enfants.

Certes, il passait par des moments financiers difficiles, car son affaire coulait, mais je n'avais pas besoin d'argent. Je voulais juste une présence bienveillante et protectrice.

Nous avions donné une petite cérémonie à laquelle nous avions convié quelques membres de nos familles respectives et quelques amis.

Ce jour, Abdellah savait que j'allais me marier avec Mounir.

Il avait téléphoné sur le téléphone fixe de la maison. Il voulait me parler.

J'avais demandé à ma mère et à mes frères et sœur de lui parler et d'éviter de me le passer. Et comme dans le sketch des inconnus, LAZIZA, tout le monde lui a parlé, mais ils avaient insisté pour que je lui parle.

J'avais pris le téléphone, j'étais tétanisée, je pleurais, j'avais perdu ma voix...

Il avait aussi la voix tremblante, je le sentais ému. Il m'avait félicitée pour ce mariage et souhaité tous ses vœux de bonheur. Imaginez cette torture !

J'étais déchirée émotionnellement.

Comment osait-il me culpabiliser de la sorte ?

Pourquoi fallait-il qu'il m'appelle ce jour-là ?

J'allais tout annuler.

Mais je voyais Mounir qui débordait de joie. Je n'ai pas osé lui faire un sale coup en annulant ce mariage. Il se serait sûrement suicidé tellement il m'aimait et il voulait m'épouser.

Une voix dans ma tête me disait : « Salwa, tu es une femme d'engagement, respecte ton engagement envers Mounir. Abdellah n'a jamais pensé à toi ni à ton bonheur, oublie-le, aujourd'hui. Tu dois te marier. »

Mounir avait décoré tout notre appartement avec des bouquets de roses blanches.

Il se tenait à la porte avec un sourire qui laissait apparaître ses dents de sagesse.

On aurait dit un enfant heureux de son premier jouet.

Ça me faisait plaisir d'être aussi aimée, dorlotée et chérie par un homme.

Je suis retournée dans ma chambre, je me suis remaquillée et je suis retournée au salon me marier avec Mounir.

Abdellah n'avait jamais été aussi gentil et tendre avec moi.

Je devais donner à Mounir l'occasion de me faire goûter au bonheur d'une vie harmonieuse.

Tout Tanger jasait. Les pies jacassaient, la ville ne parlait que de nous, de notre mariage, mais également du malheur causé à son ex-femme. Celle-ci se donnait en spectacle dans sa salle de sport et à tous les endroits auxquels elle s'y rendait.

Je ne me suis jamais sentie coupable. Le couple battait de l'aile depuis des années.

D'ailleurs, mon mari avait eu une liaison qui avait duré dix ans, avec une autre femme avant de me rencontrer.

Étant pieux, cet homme ne voulait pas entretenir des relations adultères et haram.

Il a choisi la voie légale et halale.

Je pensais que notre vie allait se calmer et que nous allions vivre dans la joie et la sérénité.

Hélas, non ! La vie n'est pas un long fleuve tranquille !

Tous les jours, son ex-femme nous téléphonait. Elle lui proposait de l'argent.

Je ne m'ingérais pas entre eux. Étant donné qu'ils avaient des biens immobiliers et mobiliers en commun en plus de leurs enfants, je les laissais discuter sans donner mon avis. J'avais confiance en lui et je savais qu'il m'aimait profondément.

En 2009, je venais de créer mon compte Facebook, j'avais donc affiché sur mon profil quelques photos. J'étais enfin heureuse. Je paraissais jeune, belle et élégante. Je recevais des compliments de mes amis du monde entier.

Un jour, j'ai reçu un message bizarre d'un ami journaliste.

Ce message disait que mes photos circulaient chez plusieurs voyantes et fquihes de Tanger pour me jeter de mauvais sorts pour divorcer de mon mari.

Naïve comme je l'étais, je n'ai pas donné de l'importance à ce message.

D'ailleurs, une amie de Tanger avait rencontré une dame qui a apparemment des pouvoirs de sorcellerie et lui a dit qu'elle allait faire tout son possible pour nous séparer.

Je suis moderne et intellectuelle et je ne voulais pas croire en ces croyances médiévales.
De plus, je ne pouvais pas imaginer que l'ex de mon mari qui était elle-même diplômée d'une grande Université française et qui avait

plusieurs diplômes universitaires pouvait s'adonner à ce genre de travaux occultes.

J'en avais parlé à mon mari. Il m'avait dit de ne pas y prêter attention, que l'amour gagnerait et que c'est Dieu qui avait voulu qu'on se marie et grâce à cette volonté divine nous allions rester mariés.

Depuis ce jour, je me sentais mal dans ma peau, je commençais à m'inquiéter réellement.

Je ne dormais pas bien, je faisais des cauchemars et j'avais des crises d'angoisse la nuit et je ne dormais plus à côté de mon mari.

Je trouvais des choses bizarres devant mon magasin et le miroir de mon ascenseur était badigeonné d'un liquide noir.

J'étais envahie par des pensées négatives et un mal être incompréhensible.
Je n'aimais plus mon mari et j'ai commencé à le fuir.

Un jour, en prenant notre petit déjeuner, je lui ai annoncé que j'étais malheureuse et que je souhaitais le quitter.
Mon mari a essayé de comprendre mon malaise, mais je lui ai fait comprendre que ça ne servait à rien et que les forces du mal nous poursuivront éternellement pour détruire notre mariage et notre bonheur.

Cela faisait deux ans qu'on se connaissait et un an seulement que nous étions mariés et c'était déjà fini.

L'après-midi en rentrant chez moi, Naima m'avait fait savoir qu'il avait pris ses affaires et qu'il était parti chez sa mère.

La procédure de divorce à l'amiable était rapide. Un mois plus tard, nous étions déjà divorcés.

L'épreuve la plus difficile était le passage chez les adouls pour notifier le divorce.

Mon mari était pris par des sanglots violents.

Les larmes coulaient comme une pluie sur ses joues.

J'avais peur qu'il fasse un malaise, car il était diabétique.

Les gens dans la salle le consolaient. Je n'arrêtais pas de lui murmurer, s'il te plaît, reprends tes esprits.

L'adoul a dit : « Je n'ai jamais assisté à une situation pareille, je ne peux pas approuver ce divorce qui vous déchire ainsi. Si vous le souhaitez, tous les deux, je vous remarie. »

Alors mon mari, lui a dit : « Ce divorce me déchire les entrailles, car j'aime éperdument cette femme qui a de très belles qualités, mais je dois la libérer, pour la simple raison que je suis incapable de la rendre heureuse. J'ai des soucis financiers, mes enfants ne me parlent plus depuis que j'ai quitté leur mère, ils ont avec avec mon ex-épouse la main mise sur tous mes biens, mes propres frères m'ont abandonné et n'ont jamais approuvé mon mariage…

Je suis destiné à vivre malheureux et je ne peux pas imposer à cette jeune femme de partager mon malheur. »

La réponse de l'adoul a été la hawla wa la kouatta illa bi Allah.

Les yeux embués de larmes, il a apposé sa signature sur l'acte de divorce et nous a remis notre copie.

Nous étions venus ensemble dans la voiture de mon mari. Il m'a déposé devant la gare de Tanger pour que je récupère ma voiture. Avant de descendre, il m'a demandé ; Salwa, puis je te prendre dans mes bras une dernière fois ?

Bien évidemment, je ne pouvais pas lui refuser cette demande si légitime, car il a toujours été bon pour moi et pour mes enfants.

C'était une autre bataille de perdue.

La leçon que je j'en ai tirée est que je ne dois plus jamais m'approcher d'un homme marié, car je me brûlerais les ailes encore une fois.

Le problème dans cette histoire est que le mal l'a emporté et que l'amour et la tendresse ont été vaincus par les forces du mal.

Je suis rentrée ce jour chez moi, je me suis enfermée dans ma chambre et j'ai pleuré toutes mes larmes pendant des jours et des jours. Je ne comprenais pas ce qui m'arrivait.

J'étais mal dans ma peau, je ne dormais plus, je pleurais sans arrêt, je n'allais plus au bureau… J'avais perdu l'homme qui aurait pu me rendre heureuse.

Mounir avait vécu apparemment la même situation que moi. Les échos que je recevais m'apprenaient qu'il pleurait comme un enfant, qu'il ne dormait pas, qu'il me réclamait sans arrêt…

Six mois après, il s'était remis avec sa première femme Karima avec des conditions draconiennes, dont l'interdiction totale de me contacter ou de chercher à me revoir.

Il m'en avait parlé un jour, trois ans plus tard, lorsque je l'avais rencontré accidentellement à la banque. Il m'avait prise dans ses bras ce jour-là, a commencé à pleurer et en disant qu'il ne m'a jamais oubliée et que depuis notre rupture, il allait tous les jours que Dieu ait faits, devant la gare, à la place où il m'avait déposée pour pleurer sur son sort et son malheur.

Ce qui est réconfortant dans cette histoire aussi dramatique soit-elle c'est que j'ai pu rendre heureux cet homme en deux ans alors que sa première épouse n'a pas pu le faire en trente-quatre ans.

Cet homme est décédé de la Covid-19 en décembre 2019. Que Dieu ait son âme en sa sainte miséricorde.

Le plus étrange, c'est que je ressens sa présence parfois dans ma chambre.
Apparemment, son âme me rend visite. Il reste toujours protecteur et bienveillant.

Ma victoire dans cette bataille est que je l'autorise à venir prendre de mes nouvelles après sa mort. De là où il se trouve maintenant, son épouse ne pourra en aucun cas lui interdire de me rendre visite.
Repose en paix Mounir je garderai toujours de bons souvenirs de toi, de ton amour pour moi et de ta bienveillance.

La vie est parfois curieuse, elle nous offre des ouvertures et des portes qui se claquent parfois, mais toujours avec une raison valable que seul Dieu connaît d'avance.

Étant croyante en Dieu, j'accepte tout ce que me réserve mon destin.

En ce qui concerne ma bataille avec la société marocaine, j'estime que je l'ai gagnée haut les mains. Mounir a toujours dit du bien de moi. Il a toujours remis en place toutes les personnes médisantes qui parlaient de moi en mal. Par rapport à mon ex-mari, les gens qui ont parlé de lui ont eu des problèmes similaires et se sont retrouvés avec des membres de leurs familles incarcérées.

J'étais une femme innocente des accusations de mon ex-mari Abdellah donc la société marocaine n'avait pas à me juger.

Cet homme avait payé sa sentence et ne devait rien à personne. Il est sorti vingt-sept mois plus tard et a continué ses activités professionnelles.

Il reste toujours le père de mes enfants. Je le reçois toujours avec plaisir. Je me lui en veux pas ni pour cette histoire ni pour les problèmes d'alcool ni pour nos disputes et probablement son adultère.

Il est le premier à plaindre.

Vivre avec une dépendance vis-à-vis d'un produit toxique est une pathologie qui est devenue courante dans notre société.

J'aurais souhaité que celui-ci accepte de se faire aider par un psychiatre pour lutter contre cette addiction. Hélas, il était dans le déni de sa dépendance.

Avec le temps, il me faisait pitié, car il avait tout perdu en raison de son alcoolisme : son foyer, sa femme, ses enfants, son prestige, son argent, son confort...

Il vivait comme un prince avec moi. Il ne manquait de rien. Il avait mon amour et celui de ses enfants.

L'alcool a même creusé le fossé entre lui et ses enfants.

L'alcool l'a privé de ses amis et de sa grande famille.

Je suis triste pour lui. Lorsqu'il était en prison, il avait perdu son unique sœur d'une crise cardiaque.

Quelques années après, il avait perdu son jeune frère d'une longue maladie.

Il lui reste deux frères qu'il ne voit que rarement.

Sincèrement, je fais tout en ce moment pour le rapprocher de ses enfants.

J'ai toujours peur qu'il décède loin de ses enfants.

Il est très réservé par rapport à sa vie privée. Ni ses enfants ni moi ne savons rien de ses fréquentations ni de son travail...

Il a actuellement soixante-dix ans. Je lui souhaite le meilleur pour ce qui lui reste à vivre.

Je lui souhaite du fond du cœur, une longue vie, une excellente santé et une vie harmonieuse avec ses enfants.

Pour avancer dans ma vie, j'ai décidé de lui pardonner tous ses dérapages.

D'ailleurs, je prie pour lui à chaque prière.

Puisse Dieu l'aider à renoncer à ce maudit alcool qui lui a détruit sa vie.

J'ai donc gagné une autre bataille contre les remords et les regrets.

Je me sens en paix avec Dieu et avec ces deux hommes qui ont marqué ma vie au fer rouge.

Chapitre 5
Ma bataille pour l'oubli

Je l'avais rencontré alors qu'il était mordu par le désarroi, perdu dans le chagrin, empoisonné par les regrets et les remords, rongé par les déceptions et les désillusions.

C'était une âme en peine, une âme déchirée, une âme errante sans but précis, une âme ayant perdu toute envie, tout plaisir, toute joie de vivre.

Moi-même, je sortais de ma torpeur et de mon mal-être dû à mon deuxième divorce.

La thérapie que je suivais m'avait fait du bien.
Comme tout coach professionnel, je devais bénéficier d'un espace thérapeutique sain pour vider mes sacs et d'un autre espace de supervision pour discuter des cas de coaching étudiés.

Je me sentais bien dans ma tête et dans ma peau.

Ma famille m'avait épaulée.

Mes amis Coachs étaient présents et prenaient régulièrement de mes nouvelles.
J'avais fait de nouvelles rencontres virtuelles et qui sont devenues réelles par la suite.

Nous avions créé un groupe d'amis très sympathiques et intellectuels. Nous l'avions appelé les « Zoulous Chtarbés ». Nous organisions des sorties en groupe aux restaurants, à la piscine, à la plage, chez nous à tour de rôle...

J'ai commencé à sortir et à assister à des soirées de mon association internationale.

La vie reprenait le dessus pour moi et mon cœur débordait d'espoir pour vivre une vie heureuse.

Agissant toujours en Sauveur, je lui ai tendu ma main, je lui ai offert mon écoute, je l'ai pris dans mes bras, je l'ai bercé pour lui faire revivre tendrement cette chaleur maternelle, ce réconfort divin, cette bienveillance énergétique venue du Nirvana.

Je l'ai aidé à reprendre confiance en la vie, confiance en lui et je lui ai appris à vivre à son rythme. J'ai aussi appris à réfléchir à sa place, j'ai épousé ses rêves et ses projets, j'en ai fait les miens pour lui faire miroiter un avenir tout beau, tout rose, tout fleuri, tout optimiste.
Il est devenu au fil des jours le centre de ma vie, le centre de mes intérêts, le noyau vital de mes rêves.

Farid était devenu la sève qui nourrit mes sens, l'oxygène qui aère mes bronches, l'eau qui désaltère mon corps.

Je le rejoignais partout où il se trouvait en parcourant des kilomètres et des kilomètres.
Nous avions passé des moments féeriques bercés par nos rires enfantins, se dandinant au rythme de nos pas de danse, naviguant au rythme de nos longues discussions, arrosés par nos paroles et le vin enivrant qui rendait nos rencontres ensorceleuses, vibrant aux secousses de nos corps assoiffés d'amour et de passion.

Chaque rencontre était une cérémonie festive avec son rituel aromatisé aux mille et une senteurs.

Je me faisais belle pour lui, me sentais unique dans son monde grâce à son regard de cristal émerveillé qui projetait des étincelles de désir venues du profond de son être.

Lui aussi se préparait à me retrouver avec effervescence, dynamisme et joie de vivre tel un enfant retrouvant son jouet fétiche.

Tout le monde nous enviait, enviait cette flamme qui naissait et croissait entre nous jour après jour.

Nous formions le couple de l'année, on nous a aperçus partout, bras dessus, bras dessous, s'échangeant des regards complices et de tendres baisers tels des adolescents virevoltant de plaisir.

J'étais sortie d'un second divorce douloureux et lui vivait également un deuxième divorce douloureux.

Pour la première fois de ma vie, je souhaitais vivre une belle histoire sans tenir compte du qu'en-dira-t-on.

Je voulais prendre le temps de le connaître avant de m'engager avec lui dans une histoire de mariage.

Tout était parfait, j'étais devenue l'ombre de son ombre.

Il était devenu mon miroir magique tiré du conte de la belle au bois dormant.

Nous partagions tous nos secrets, nos désirs, nos peurs, nos objectifs, nos rêves…

Farid était professeur en Médecine, dès qu'il finissait sa matinée, il me téléphonait.

Nous restions penchés, durant des heures interminables, au téléphone.

Nous communiquions par mails, par messages, par les réseaux sociaux...

Nous vivions en live des moments insolites, partageant nos passés douloureux, nos souffrances, nos angoisses, nos joies, nos soucis du présent, nos craintes de l'avenir...

Dès que nous nous retrouvions, nous partagions des choses simples, mais agréables : un bout de pain, un fruit, un bonbon, mais aussi des rires, des chansons et des sorties agréables aussi.

Nous sommes devenus une seule entité confondue, réfléchissions de la même manière, communiquions parfaitement par télépathie, partagions solidairement tout.

Ses enfants étaient devenus les miens, ses responsabilités les miennes, ses objectifs les miens, ses échéances les miennes...

Durant cette relation, je m'étais épanouie, j'avais retrouvé mes talents de poète en herbe, de chanteuse, de danseuse, de cordon bleu, de maîtresse, de psychologue...

Farid était devenu ma muse, il était le catalyseur de mon inspiration, le stimulateur de mes pensées positives.

Chaque jour, je publiais sur les réseaux sociaux un article ou un poème qui plaisait énormément à mes fans.

Je m'organisais de façon à passer les jours de semaine à Tanger. Ça me permettait de m'occuper de mon travail et de mes enfants. Le vendredi matin, je le rejoignais pour passer le week-end à Rabat ou à Casablanca ou à Marrakech.

Parfois, il me rejoignait à Tanger où nous allions passer le week-end à Marbella.

J'étais motivée pour pratiquer régulièrement mon sport.

Je nageais, je me faisais faire des massages amincissants, je soignais mes cheveux et mon corps par des enveloppements de masques hydratants…

Je dépensais un argent fou en soins pour me raffermir et amincir.
J'avais tout testé pour lui plaire : la radiofréquence, la cryolipolyse, la lipocavitation, la mésothérapie…
Bref, dès que mon amie spécialiste en médecine anti-âge me parlait d'une nouvelle technique, je l'essayais.
J'étais devenue le cobaye de la science pour lui plaire.

J'étais, telle la sculpture de Pygmalion – ce chypriote de la mythologie grecque, célibataire endurci, qui avait sculpté une statue de femme si belle qu'il en tomba amoureux – je prenais vie sous l'effet de ses caresses et paroles ensorceleuses.

J'avais vécu assez de malheurs pour continuer de souffrir.

J'avais droit au bonheur, car je le méritais et j'étais motivée pour le croquer à pleines dents.

L'épreuve douloureuse de mon 2e divorce avec Mounir m'avait anéantie.
Les mauvais sorts qu'on m'avait jetés m'avaient cassée. Ce n'est que, six mois plus tard, grâce au Coran et à la Roqia Chariaa (des versets coraniques spécifiques pour détruire tous les mauvais sorts) que j'avais retrouvé le goût de la vie.

Maintenant que j'avais rencontré un homme qui m'aime et que j'aime, un homme avec lequel je m'entends à merveille, un homme qui est passé par deux expériences de divorce comme moi... Je n'étais pas prête à l'abandonner.

D'ailleurs pour respecter ma religion musulmane et ne pas commettre de péchés, j'avais contacté des amis soufis pour avoir leurs conseils par rapport à ma relation avec mon nouveau partenaire. Ils m'ont certifié que si mon intention était pure et que je visais le halal, Dieu l'approuverait et nous faciliterait les tâches pour sacraliser nos liens.

Farid avait avant notre rencontre une relation avec une jeune femme qu'il voyait épisodiquement. Elle avait continué de le harceler pendant notre relation.

Je lui avais demandé d'être sincère avec elle, de lui avouer que leur relation était finie et qu'elle devait cesser ce harcèlement.

C'était peine perdue !

Partout où on se rendait, elle lui téléphonait, envoyait des messages par SMS, par mails...

C'était devenu invivable.

Sa seule excuse de ne pas la confronter sévèrement était qu'elle était amoureuse de lui et qu'il avait des scrupules à la blesser.

Mais il ne se rendait pas compte que cette femme me bouffait mon espace vital.

De jour en jour, nous nous disputions à cause de cette femme jusqu'au jour où un nuage sombre était venu brouiller soudainement notre ciel bleu.

Les turbulences devenaient de plus en plus puissantes et rapprochées.

Ces secousses surgissaient parfois du passé ou du présent.

Elles se propageaient formant un nuage noirâtre et toxique au-dessus de notre relation.

Son passé à lui, était riche en aventures, son téléphone ne cessait de le lui rappeler.

D'ailleurs, ses dérapages sexuels étaient les principales raisons de ses ruptures avec ses ex-épouses ou maîtresses.

Le pire c'est qu'il avait gardé de bons rapports avec toutes ses ex. Souvent, nous étions dérangées par l'une d'elles par des coups de fil intempestifs et répétitifs, ou par des SMS provocants ou par des mails insistants.

Je voyais tout, comprenais tout, mais malgré mon agacement, je faisais semblant de composer avec patience et ouverture d'esprit.
J'avais confiance en moi et également en lui et en notre lien amoureux.

Néanmoins, j'étais soucieuse de notre avenir commun.

Je souhaitais construire un havre de paix et d'amour de deux familles recomposées.

Je n'ai jamais eu l'intention de m'amuser et de vivre une aventure avec lui.

Ni ma réputation, ni ma position sociale, ni mon éducation, ni ma famille conservatrice ne me l'auraient permis.

Farid, par contre, vivait au jour le jour et ne concevait aucun projet d'avenir pour nous deux.

Le sens des responsabilités, l'esprit de famille, le partage ne constituaient nullement ses priorités.

Il attendait que son divorce soit enfin prononcé et il voulait souffler avant d'envisager une autre relation légale.

Il avait excessivement peur du lien, de la dépendance affective vis-à-vis de moi.

Je l'aimais aveuglément ou du moins je pensais l'aimer.

Cependant, j'avais peur de le perdre, je voulais le garder jalousement près de moi, en étant sa dulcinée exclusive pour la vie.

J'avais aussi horriblement peur de l'échec. Une autre déception sentimentale dans ma vie pouvait m'anéantir à jamais.

Indépendant et aussi bien entouré comme il l'était, je me doutais fort bien qu'il ne pouvait être fidèle à moi toute seule.

Il avait ses enfants, ses confrères, ses amis, sa famille, ses ex-épouses et également tout un harem d'ex-copines.

Tant qu'il entretenait des liens sains avec ceux-ci, j'étais prête à le partager avec eux.
Cependant, je trouvais qu'entretenir des relations amicales avec ses ex-copines était un comportement malsain.
Mon petit cerveau et mon éducation ne concevaient pas cela.

Un jour, je lui ai écrit un long mail en lui expliquant que je l'aimais et concevais de construire une relation saine et légale avec lui.
Certes, je comprenais qu'il venait de passer par un tsunami émotionnel dû à son divorce. Néanmoins, je lui ai donné un délai de six mois pour se décider, car je devais absolument offrir à ma famille et à mon entourage une image respectable de nous et de notre couple.

De plus étant maman, je devais m'organiser et savoir si je devais inscrire mes enfants à leur école de Tanger ou demander leur transfert à Casablanca ou à Rabat.

Cette histoire d'ultimatum l'avait littéralement anéanti.

Par ailleurs, sentant que j'avais pris une place primordiale et vitale dans son monde, il avait peur que je l'abandonne.

J'avais inconsciemment réactivé chez lui la cicatrice émotionnelle de l'abandon.

Il devait donc se défaire doucement de notre lien pour ne pas souffrir.

Il suffoquait et commençait à réclamer des espaces d'aération, des espaces de liberté, des espaces de solitude aussi.

Ne comprenant pas sa sensation d'étouffement, je cherchais anxieusement à comprendre.

Que se passait-il ?

Avait-il repris sa relation avec son ex- copine sans que je m'en rende compte ?

Était-il lui aussi sous l'effet des forces du mal provoquées par les mauvais sorts concoctés par l'une de ses ex-maîtresses ?

Plus j'essayais de le réconforter et de le rassurer grâce à mon calme, à son self-control, à mon aptitude à gérer le stress, à gérer les aléas de la vie, à gérer ses soucis… et plus, il fuyait loin de moi.

Comprendre quoi ?

Comprendre qui ?

Chaque jour qui passait lui faisait prendre conscience de son attachement à moi, et ça ne faisait qu'amplifier sa colère envers moi.

En effet, j'étais importante dans sa vie, je l'avais aidé à surmonter l'épreuve douloureuse de son divorce, je l'avais aidé à meubler sa maison de Rabat, je l'avais aidé à finaliser son chantier de villa à Marrakech, nous l'avions meublée ensemble.

Je lui avais offert au moins cent mille Dhs de meubles de ma société.

À chaque fois que je voyageais quelque part, j'achetais pour ses maisons du linge de maison, des accessoires...

Lorsqu'il fallait nettoyer la villa après que les maîtres d'ouvrage avaient quitté le chantier, j'avais porté un jean et un T-shirt et travaillé aux côtés des femmes de ménage que j'avais embauchées.

Chaque arbre et chaque plante dans son jardin, je les avais choisis avec lui dans une pépinière sur la route de l'Ourika.

Il m'avait présentée à sa famille.

Ses enfants m'appréciaient beaucoup et me contactaient régulièrement.
Ils nous accompagnaient souvent en vacances.

Sa première ex-épouse m'appelait régulièrement. Nous avions de longues et amicales conversations au téléphone. Elle était heureuse que je sois bienveillante vis-à-vis de ses enfants.
Elle savait que Farid m'aimait et elle l'avait encouragé devant moi à m'épouser.

D'ailleurs, elle intervenait souvent pour nous réconcilier lorsque nous nous disputions.

Sa 2e ex-épouse lui conseillait également de m'épouser, car elle savait que si je recevais ses enfants j'allais m'en occuper comme leur mère.

Mais pour lui, bien qu'il me trouvait parfaite, j'étais devenue pour lui de l'acquis, sa propriété, son bouc émissaire…

Il n'avait plus aucun effort à fournir pour me séduire. Combien de fois ne m'a-t-il pas répété les yeux écarquillés d'admiration : « Ma chérie, plus je te vois, plus je te connais, plus je t'admire et plus je me rends compte que tu es presque parfaite. »

Mais plus le temps passait et plus il se sentait agacé, je ne constituais plus une proie à séduire, j'étais devenue une campagne ordinaire, je ne l'attirais plus frénétiquement comme au début de notre relation.

Il m'en voulait de plus en plus, parce qu'il pensait perdre son autonomie avec moi.

Habitué à séduire toutes celles qui l'entouraient, il perdait ce pouvoir de séduction et avait peur de l'utiliser en ma présence.

Cette frustration ressentie se métamorphosait jour après jour en haine vis-à-vis de moi.

Il ne cessait de répéter aux amis et à nos enfants que j'étais très jalouse.

En réalité, je n'étais pas jalouse, mais j'exigeais de lui le respect.

Dans mon système de valeurs et compte tenu de mon éducation, je ne concevais pas qu'il courtise d'autres jeunes femmes en ma présence.

Le doute s'était installé dans notre relation telle une vermine, il rongeait nos liens sournoisement.

Ce qui me rendait encore plus furieuse, c'est qu'au début, il faisait tout pour que je l'aime. Et maintenant que je l'aime, il avait un comportement détaché.

Puisqu'il n'a jamais eu l'intention de concrétiser notre relation, pourquoi acceptait-il mon aide, mes dépenses dans ses maisons, mon investissement physique, financier et émotionnel dans notre relation ?

Je me posais la question si le mauvais œil pouvait altérer notre relation de la sorte.

Un soir, nous étions sortis à une soirée de Gala, nous passions une merveilleuse soirée en public. C'était moi qui l'avais invité à cette soirée organisée par mon association internationale.

J'avais acheté les billets de gala, les tickets de tombola et payé ses bouteilles de vin à Table. Monsieur était bien servi. Ça m'avait coûté quatre mille dirhams. Mais le plaisir de nous retrouver réunis dans un cadre agréable à l'hôtel Sofitel (jardins des roses) à Rabat, en valait la peine.

Nous avions dansé jusqu'au matin, chanté avec l'orchestre et mes amis, ri aux éclats.

Nous sommes rentrés ensuite chez lui, nous avions passé une belle nuit de tendresse, l'un dans les bras de l'autre.

Au petit matin, nous nous sommes réveillés doucement l'un dans les bras de l'autre.

Une discussion ordinaire fut entamée, suivie de remarques gentilles et de questionnements censés suite à des messages de l'une de ses copines trouvées accidentellement sur son téléphone.

Cette discussion a débouché brusquement vers une dispute qui s'élançait tel un feu de paille.

Injures, insultes, reproches, furent prononcées de part et d'autre d'une manière verbalement violente alliant gestuelle, haussement du ton de nos voix...

La colère prit le dessus à la joie de vivre et à l'élan de la passion qui nous unissait tendrement quelques minutes plus tôt.

J'ai ramassé mes affaires dans ma grande valise grise, un bagage qui me suivait partout lors de mes déplacements avec lui.

Oh, si ce bagage gris pouvait parler, il vous raconterait aujourd'hui, notre histoire.

Il était l'unique témoin oculaire de notre histoire.

Il vous raconterait les péripéties qu'il a vécues au rythme de notre relation passionnelle.

Ce bagage a parcouru des milliers de kilomètres, en voiture, en avion, en train, en taxi, traîné à pied dans les couloirs des aéroports, traversant les avenues, escaladant les escaliers, les métros...

Ce bagage qui réunissait toutes mes belles toilettes que je rassemblais amoureusement pour lui faire honneur, rassemblait ma lingerie fine choisie pour lui plaire, rassemblait des crèmes et parfums réunis pour faire de nos rencontres des moments parfumés aux mille et une senteurs.

J'avais pris alors mon bagage, ce fidèle compagnon, j'ai dégringolé les escaliers de sa maison, je l'ai quitté les larmes ruisselant sur mes joues encore rougies par le feu de l'amour.

Et sans me retourner, je disparaissais dans la nature, loin de son regard, loin de sa vie.

Il m'a laissé partir, rongé par cette colère de me perdre et heureux de retrouver enfin son autonomie. Je suis retournée à Tanger retrouver ma vie, mes enfants, mon travail et ma solitude.

Ce dilemme l'a fait basculer curieusement dans une bipolarité depuis ce jour.

Une bipolarité le traînant entre un jour pair et un jour impair, entre un jour de gaieté et un jour de mélancolie, entre un jour de forte excitation et un jour de grande déprime.

Il a tout fait pour m'oublier, noyant son chagrin dans l'alcool et les sorties avec des femmes qu'ils connaissaient ou qu'il venait de rencontrer.

Papillonnant de fille en fille, multipliant les rencontres, usant de son charme de séducteur invétéré pour retrouver cet amour perdu, ou pour réussir à m'oublier.

Hélas, il se mentait à lui-même.

C'était difficile de me remplacer, car je lui ai fait goûter le vrai bonheur.
Il éprouvait un plaisir immense lorsque je lui faisais une manucure, une pédicure, un soin de visage tonifiant, un massage relaxant...
Il jubilait lorsque je l'accompagnais pour de grandes balades à pied en bord de mer et sur les terrains de golf d'Amelkis à Marrakech.

Je lui ai fait prendre goût à la vie.

Comment pourrait-il oublier que je l'avais ramassé à la petite cuillère, qu'il prenait son antidépresseur de mes mains et que je lui tendais ses anxiolytiques avant de dormir ?

Je switchais toujours du demi-comprimé de Lexomil 6 mg au comprimé de Stilnox. Et avec un verre d'eau tendu par mes mains, il avalait docilement son médicament.

Je suis partie avec ma joie de vivre. Aucune autre voix ne résonnera plus dans sa maison par mes chants.

Aucune silhouette ne dansera plus aussi langoureusement ou frénétiquement au rythme de toutes les musiques diffusées dans cette maison.

Aucune belle saveur de bons petits plats mijotés amoureusement ne s'élèvera dans l'air de cet espace qui nous abritait.

Aucune fragrance florale n'embaumera ses draps comme je le faisais avant de me faufiler coquinement dans son lit.

Il le sait d'ores et déjà, il a perdu une partie de lui, une partie de son âme, une partie de ses rêves, en me perdant.

Cependant, son ego démesuré, sa dignité mal placée, son orgueil asphyxiant, son nombrilisme imbattable l'empêchaient de courir derrière moi pour me rattraper.

Pour ma part, je suis retournée chez moi, reprendre ma vie où elle était deux ans plus tôt.

J'étais blessée au plus profond de moi-même.

Farid m'avait bernée, m'avait leurrée, il avait abusé de ma gentillesse et de ma générosité.

Je devais prendre soin de ma personne et essayer de panser mes blessures.

Je n'avais pas le droit de sombrer dans une dépression nerveuse, car j'avais mes responsabilités de mère et de gérante de société à assumer.

Je tenais à récupérer mes biens que j'avais laissés chez lui à Rabat et à Marrakech. Je refusais que d'autres femmes puissent dormir dans mes draps ou poser leurs pieds sur mes tapis ou utiliser ma vaisselle.

Mais, faisant preuve de petitesse, il avait refusé en m'écrivant que c'étaient des cadeaux.

Un jour, il avait dit à une amie qu'il avait souffert de notre séparation, que toutes ses maisons comportaient mes empreintes et qu'il avait du mal à m'oublier.

Sornettes ! Je ne crois pas un seul mot de cela. Qui l'avait obligé de me piétiner ? Et qui l'a empêché de s'excuser et de tenter de me récupérer ?

Manipulateur comme il l'était, il avait profité de ma présence dans sa vie pour se refaire une santé et revenir sur le terrain à la charge pour séduire d'autres femmes.

Après l'avoir quitté, je l'imaginais parler en mal de moi comme il le faisait si bien de ses ex-épouses et de ses ex-copines. Il était toujours la victime et les autres femmes étaient toutes ses tortionnaires.
Il m'avait fallu deux ans pour comprendre à quel profil d'hommes j'avais eu affaire.

Cette histoire était une grande leçon de vie pour moi.

Depuis, je ne dépense plus un centime pour qui que ce soit.

Il avait raison, je m'étais occupée de ses maisons alors que ce n'était pas les miennes.

Je m'étais occupée de ses enfants alors qu'ils n'étaient pas les miens.

J'entends encore ma mère, que Dieu ait son âme en sa sainte miséricorde, me citer ce vieil adage marocain : « Lorsque tu ne possèdes pas un bien, tu n'as pas à te soucier du loyer qu'il génère ».

J'avais mis du temps à comprendre que j'avais affaire à un pervers narcissique tel que ce profil avait été méticuleusement décrit par Anne-Elisabeth Lacoste dans son livre.

Il y avait au moins treize signes indicateurs de ce profil sociopathe, mais je ne les avais pas aperçus à temps étant donné que j'étais aveuglée par mes sentiments et surtout pas ma rage de vouloir réussir cette relation.

En effet, maintenant que j'y pense :
1- Farid avait un ego démesuré
2- Il adoptait toujours la position de victime
3- Il n'hésitait pas à dénigrer son entourage.
4- Il y avait un décalage flagrant entre ce qu'il prétendait être et ce qu'il était réellement.
5- Il réclamait toujours mon attention et celle des autres.
6- Il était un grand charmeur et il séduisait aussi bien les hommes que les femmes. Ce n'était pas toujours malsain ou à des buts charnels. Son besoin était de plaire et d'être sous les projecteurs.
7- Sa réputation avec les femmes le précédait. Il en était d'ailleurs fier et il me racontait les moindres détails de ses escapades extraconjugales.

8- Il pouvait se montrer parfois arrogant et irrespectueux. Il avait d'ailleurs souvent des problèmes avec les agents de police et de la gendarmerie lorsque nous étions arrêtés pour des excès de vitesse.

9- Il mentait comme il respirait. J'avais détecté ses mensonges, mais je ne voulais pas y croire.

10- Il pouvait se montrer insultant pour pouvoir m'affaiblir.

11- Il se sentait redevable aux gens de passe-droits.

12- Tout le monde devait lui rendre service.

13- Il faisait très peu preuve d'empathie envers ma famille et mes amies.

D'ailleurs, mon fils aîné, mes deux frères qui l'avaient rencontré, mes amies... le trouvaient imbu de sa personne.

Et mes amies le trouvaient opportuniste : elles ne comprenaient pas pourquoi il me laissait toujours payer les additions des restaurants. Leurs maris payaient leurs parts, par contre Farid attendait toujours que je sorte ma carte bancaire pour régler notre part.

Une fois, nous étions en voyage à Beyrouth. Il y avait un congrès de sa spécialité. Je m'occupais durant la journée, je faisais du tourisme et du shopping.

Une amie de Tanger m'avait remis les coordonnées de sa sœur qui résidait dans cette ville.

Je l'avais contactée et tous les jours nous faisions un programme intéressant.

Un jour, il m'avait demandé de le rejoindre à un cocktail dînatoire dans une salle de congrès « Dar Attabib ». Je l'avais rejoint.

En rentrant, au moins une vingtaine de personnes m'avaient reconnue. C'étaient mes amis dans le cadre de mon association Internationale. Ils sont tous venus m'accueillir et m'embrasser amicalement. Les voyant autour de moi, j'avais perçu dans son regard de la haine, car je lui avais volé la vedette.

Au fait, mon association internationale avait organisé avec les médecins libanais une action commune au profit des malades de condition précaire. C'était la raison pour laquelle, tous mes amis se trouvaient dans cette salle.

Pendant le discours en présence du Premier ministre libanais, il pensait qu'on allait lui donner la parole. Il était étonné d'entendre un ami président de Middle-Est de notre association, qu'il était honoré de recevoir du Maroc, une grande dame qui représente notre association.
Il m'a appelée et m'a décorée devant l'assistance.

Je me souviens que Farid m'avait détestée ce jour.

Manipulateur comme il l'était, il pouvait orchestrer des stratagèmes pour que je règle certaines factures et certaines dépenses.

Un exemple flagrant, suite à des vacances passées dans un hôtel avec nos enfants, au moment de régler la facture, il m'avait demandé de payer avec le chéquier de la société pour pouvoir bénéficier de la facture pour ma comptabilité.
Il m'avait dit qu'il me rembourserait. Et bien évidemment, je n'ai jamais été remboursée de cette somme d'argent.
Pourtant, je lui avais remis au début des vacances la somme de six mille dirhams pour payer nos restaurants. Je ne voulais pas que mes enfants me voient en train de régler nos factures. Ils m'auraient fait la remarque.

Sur la route, je conduisais souvent pour aller à Marrakech. Nous prenions souvent ma voiture avec mon gasoil. Il faisait semblant de dormir dès que nous nous rapprochions du péage.

C'était mesquin. Je ne me doutais jamais de ses astuces pour m'obliger à payer les sommes dues. J'étais aveuglée.

Je me suis mordu les doigts après notre rupture d'avoir été aussi naïve et d'avoir cru en ses propos mensongers.

Heureusement que notre relation n'a duré que deux ans. Sinon, j'aurais laissé mes plumes dans cette histoire.

En revanche, j'avais trouvé accidentellement des messages de son ex-copine sur son smartphone qui prouvaient qu'ils continuaient de se voir en cachette. Le pire est qu'il l'avait enregistré sur son répertoire avec le pseudonyme J.B Martin. Tout le monde sait que c'est une marque de chaussures.

Sauf que je savais que les initiales de JB correspondaient au nom et prénom de son ex-copine.

Certains hommes insultent l'intelligence des femmes. Et Farid en faisait partie.

En comprenant à quel profil d'hommes j'avais eu affaire, je ne l'avais jamais plus contacté.

Il m'avait téléphoné en janvier 2017 pour me présenter ses condoléances suite au décès de ma mère. Il avait appris la nouvelle par une annonce sur les réseaux sociaux. Mais depuis, je ne cherchais pas à avoir de ses nouvelles. Cet homme m'avait causé des préjudices dans ma vie. J'avais complètement tourné la page.

Plusieurs amis en commun me disaient des horreurs sur lui. Je refusais de les croire. Mais au fond de moi, je me disais que venant de lui, tout était possible.

Il n'avait pas de scrupules et avait un penchant vers le libertinage.

Un ami ORL m'avait même assuré que Farid était accro à la cocaïne et c'est pour cette raison qu'il souffrait de problèmes au niveau des fosses nasales.

Aussi hyperactif qu'il l'était, cela ne m'avait pas du tout étonnée.

Mais, ce n'était plus mon problème.

Nous n'étions plus en couple. Donc, il pouvait faire de sa vie ce qu'il en voulait.

D'après les derniers échos qui m'étaient parvenus en 2020, d'une amie en commun, après avoir souffert d'une grave pancréatite, il avait pu enfin se marier avec une femme qu'il fréquentait.

Elle s'était sûrement occupé de lui pendant sa maladie et sa convalescence.

Il avait sûrement oublié que lorsqu'il avait eu la Grippe A en 2011, je l'avais soigné pendant plusieurs jours en m'exposant au virus, jusqu'à ce qu'il ait pu reprendre ses forces.

Ce qu'il cherchait, c'est d'être aux bras d'une femme élégante, qui est autonome financièrement, qui l'invite dans son cercle d'amis et qui lui offre une vie festive.

Il l'avait sans aucun doute trouvée.

Je leur souhaite tout le bonheur.

Pour ma part, j'ai mené une longue bataille depuis ces dix dernières années pour l'oublier.

Je ne lui en veux plus. J'ai décidé de lui pardonner pour avancer sur mon chemin.

Qu'il vive heureux, serein et j'espère avec une conscience tranquille vis-à-vis de toutes les femmes qu'il a rendues malheureuses.

Ma bataille avec l'oubli a été couronnée par un grand succès.
Aujourd'hui, je vous en parle en souriant.
Qu'est-ce que j'ai pu être naïve !

Cette victoire est sans aucun doute, le fruit de ma foi en Dieu, de ma rigueur dans mes prières, de mon assiduité dans les invocations de Dieu. Elle est également le résultat de mon Pardon que je cultive vis-à-vis de toutes les personnes qui m'ont fait du mal dans ma vie.

Chapitre 6
Ma bataille pour mes principes et mes valeurs

Cette nouvelle bataille est spéciale pour favoriser mon équilibre psychique et émotionnel.

Je ne cessais de me répéter que j'étais une femme forte et battante et qu'aucune épreuve ne m'anéantirait.

J'avais la foi en Dieu, je faisais ma prière en ma qualité de musulmane croyante, mais modérée.

Je lisais régulièrement le Coran tout en priant le Tout-Puissant de m'aider à sortir de cette éprouvante période.

Ça m'arrivait de m'enfermer dans ma chambre et de discuter avec le Bon Dieu.

Les psychiatres auraient sûrement trouvé une pathologie spécifique à mon comportement.

Cependant, étant croyante en Dieu, je savais que mon passage sur cette terre avait une raison spécifique.

Dieu ne plaisante pas lorsqu'il s'agit d'affecter des missions à ses créatures.

J'espérais, à travers mes conversations avec Dieu, arriver à des signes pour mieux appréhender ma mission et mieux l'honorer.

Lorsque j'avais vécu ma descente aux enfers, je m'accrochais à ma foi et je ne cessais de répéter à Dieu : Tu vois mon Dieu tout puissant, malgré toutes ces péripéties basculantes par lesquelles je suis passée, le fil d'or qui me relie à toi reste intacte et je te reste avec une dévotion inébranlablement fidèle.

Il n'y a pas d'autres Dieux que toi, tu es le seul, l'unique, le miséricordieux, le clément, le riche, le puissant, le premier, le dernier, celui qui n'enfante pas et celui qui n'a pas été enfanté, celui qui ne somnole pas et celui qui ne dort jamais... Je t'aime mon Dieu, mon seigneur, mon créateur et le créateur de l'univers avec toutes les créatures que nous voyons et celles que nous ne percevons pas.

Arrivée à ce degré de foi, j'avais confié mon destin à Dieu.

J'avais oublié mes mantras de coach. Je vivais avec mes inspirations positives et ma volonté de vaincre les difficultés de la vie.

C'était un challenge pour moi.

Dieu poussait mes limites et je jouais le jeu en me surpassant dans ma dévotion.

En 2015, pendant que je négociais avec la centrale d'achat de mon ex-franchiseur les conditions de rupture de mon contrat de bail du local de Tanger, mon avocat que j'avais désigné pour suivre cette opération dans la plus grande légalité et surtout en défendant mes intérêts m'avait fait part de ce qu'il souhaitait créer un cercle de chant avec quelques amis intellectuels qui sont passionnés par le chant arabe.

Il m'avait demandé d'intégrer ce groupe sachant que j'étais moi-même une grande mélomane.

J'avais commencé à suivre avec beaucoup d'intérêt ces séances dans ce groupe qui avait élu domicile au centre culturel de Derb Ghallef à Casablanca.

J'étais heureuse de cette nouvelle activité qui m'apportait du baume au cœur.

Ainsi, à raison de deux fois par semaine, nous nous retrouvions dans cette jolie salle avec notre professeur de chant.

Nous formions un groupe d'hommes et de femmes sympathique composé d'avocats, médecins, managers...

Nous passions des moments très agréables à chanter, à rire de nos déformations des plus belles chansons arabes, à nous raconter des blagues...

Dans ce groupe se trouvait un professeur en Médecine, le Pr Bilal qui ne cessait de me regarder pendant nos cours. Ça nous arrivait de chanter amicalement en duo.

Sachant que j'étais coach, je sentais que cet ami voulait me parler.

En discutant avec lui un jour, il m'avait fait part qu'il souhaitait partager avec moi ses soucis.

Je l'avais donc invité à prendre contact avec moi pour un rendez-vous.

Étant un ami de notre groupe de chant, j'avais refusé de me faire payer pour des séances de coaching. Ainsi, je le recevais au moins une fois par semaine. Il m'avait confié de lourds problèmes qu'il avait vécus. Il était marié et père de famille.

Et comme à l'accoutumée, mon empathie débordante l'a emporté et je me suis retrouvée en train de lui accorder toute mon écoute et ma compassion.

Je l'avais aidé à nettoyer ses lunettes, à développer une meilleure visibilité et à appréhender certains problèmes dans sa vie avec positivisme et foi en Dieu.

Il m'écoutait religieusement et suivait mes conseils. Je considérais ces rendez-vous pris comme un espace d'échange amical et non des séances de coaching.

Avec le temps, notre amitié s'est développée.

Bilal se sentait en confiance et venait régulièrement me voir.

Nous avions des sujets de conversation diversifiés.

Il se faisait suivre par un psychiatre qui lui prescrivait des antidépresseurs et des anxiolytiques.

Nos séances étaient un espace de parole et d'extériorisation des émotions.

Je ne considérais pas ces séances comme des séances professionnelles, car je ne lui faisais pas payer nos séances et je le recevais dans un espace convivial et non dans un bureau.

C'étaient des séances de stimulation bilatérale alternée.

Cette thérapie brève permet d'agir sur les traces négatives qu'ont laissées des événements et expériences douloureuses ou traumatisantes.

Elle s'apparente légèrement à la gestalt-thérapie.

Elle vise une meilleure compréhension et connaissance de soi, facilite l'accès aux besoins et désirs profonds de l'être humain, invite à devenir plus conscient et acteur de sa vie.

Bilal devenait plus conscient de ses problèmes et les affrontait avec un grand sens des responsabilités.

Il avait tout pour être heureux : une position sociale parfaite, plusieurs postes dans plusieurs cliniques privées à Casablanca sans compter son poste officiel au CHU, il était le père de trois magnifiques jeunes filles toutes instruites et cultivées...

Ce qui lui manquait, c'était une vie palpitante sur le plan affectif.

Apparemment, il souffrait d'une grande monotonie dans son couple.

Me sentant en présence d'un ami en qui je pouvais faire confiance, j'ai commencé également à me confier à lui.

J'en avais besoin. Je passais par des moments très bouleversants aussi bien en rapport avec ma situation personnelle, professionnelle que financière.

Amine mon fils passait par sa crise existentielle de l'adolescence et ça me bouleversait beaucoup.

Les banques me faisaient pression pour financer les crédits que j'avais.

Au sein de mon association, j'étais amenée à occuper le poste de gouverneure à l'échelon national donc j'avais énormément de responsabilités, plusieurs réunions et actions à mener et un millier de personnes à fédérer. Je subissais une grande pression de tous les camps.

Il était évident que je devais avancer beaucoup d'argent avant de recevoir les fonds venant des cotisations des membres.

La banque m'avait bloqué mon compte bancaire professionnel afin que je trouve une solution rapide au contentieux qui m'opposait à elle.

J'en avais parlé innocemment à cet ami. Il s'était proposé de me prêter de l'argent et que je pouvais le rembourser lorsque je serais dans une situation financière confortable.

J'étais réticente au début.

Je n'avais jamais emprunté de l'argent à personne à part mon frère Hicham ou ma sœur Wafaa.

À chaque fois qu'il venait me voir, il profitait de mon absence lorsque j'allais lui préparer un café ou un thé pour me déposer une liasse de billets dans mon sac.

À son départ, j'étais surprise de trouver ces sommes d'argent.

Je le remerciais pour sa délicate attention et lui demandais de noter toutes les sommes d'argent avancées afin que je les rembourse lorsque je serai sortie de cette situation.

Je mémorisais dans ma tête ces sommes d'argent pour pouvoir les rembourser.

Je n'avais jamais eu besoin qu'un homme me donne de l'argent.

Je considérais cet argent comme un prêt.

Mais pour le remercier, je lui offrais des cadeaux à chaque voyage pour lui et pour sa maman.

Au bout de trois ans, mon débit avait enregistré chez lui le montant de cent-quatre-vingt mille dirhams.

Cette somme d'argent ne me faisait pas peur.

Lorsque j'étais commerçante, je réalisais par jour, des chiffres d'affaires supérieurs à ce moment.

Avec le paiement de mon crédit consolidé à la banque et avec les frais de scolarité de mes enfants, je ne trouvais pas comment j'allais le rembourser tout de suite. Je lui en avais fait part. Il avait l'air confiant et savait que je les lui rendrais lorsque je soufflerai.

Avec le temps, il devenait possessif et invasif dans ma vie.

Certes c'était un ami que j'affectionnais beaucoup, mais je ne pouvais pas pousser notre relation plus loin. Il était marié et avait une famille.

Je le recevais toujours en présence de mes fils Amine et Yazid.

Et moi je n'avais pas besoin de me rajouter d'autres problèmes.

Donc notre amitié devait rester saine.

Sentant que son épouse commençait à douter de lui, je lui avais demandé d'espacer ses visites chez moi voire de les suspendre.

J'avais mis mon appartement de Casablanca en vente et je comptais le rembourser dès que j'encaisserais le prix de la vente. Il faisait partie de mes priorités.

Mon appartement tardait à être vendu. Il pensait qu'avec cet argent il pouvait m'acheter.

Il pouvait débarquer chez moi sans s'annoncer. Il était devenu jaloux vis-à-vis des personnes qui s'intéressaient à moi. Il voulait donner son point de vue sur tout ce qui me concernait.

Je commençais à me sentir étouffée dans cette amitié qui devenait asphyxiante.

Je suis une femme précieuse, on ne peut ni m'acheter ni me vendre avec tout l'or du monde.

Il m'appelait sans cesse. Il avait même osé partir voir ma mère en clinique. Il passait la voir tous les soirs dans sa chambre de soins intensifs pourtant je ne lui avais rien demandé et il n'était pas son médecin traitant.

Ma mère avait deviné qu'il avait tissé envers moi un lien affectif solide et qu'il avait du mal à se passer de moi.

J'étais devenue sa bouée de sauvetage.

Sauf que je jouais encore une fois ce rôle.

Je l'avais aidé à sortir d'une impasse émotionnelle importante.

Il m'avait prêté de l'argent et je lui avais promis de le rembourser dès que je vendrais mon appartement. Je ne comprenais pas pour quelle raison il devenait insistant.

Il voulait faire partie de ma famille. Mais il oubliait qu'il était un homme marié et n'avait aucune intention de quitter sa femme et sa famille.

J'étais une amie et je ne pouvais pas lui offrir plus que mon amitié.

Mes problèmes m'avaient appris à me rapprocher de Dieu et à le craindre.

Je faisais ma prière, j'invoquais Dieu plusieurs fois par jour, je ne voulais pas commettre de péchés et attirer sa colère.

D'ailleurs, quelques mois après le décès de ma mère, que Dieu ait son âme en sa sainte miséricorde, vers le mois de mai de l'année 2017, mon frère Hicham et sa femme Salwa m'avaient offert un très beau voyage à Médine et à la Mecque pour une Omra.

Ce voyage m'avait fait énormément de bien et m'avait allégée de mes lourds fardeaux émotionnels.

J'étais décidée à lui parler sincèrement après mon retour et à ne plus le revoir.

À mon retour de ce pèlerinage, j'avais commencé à l'éviter. Je l'avais même bloqué sur diverses applications. Il avait du mal à me joindre. Et lorsqu'il arrivait à le faire, il était agressif et irrespectueux.
L'amitié avait laissé sa place à la rancœur et à l'agressivité verbale.

Un jour, bouillonnant de colère contre moi, car je ne répondais pas ni à ses avances ni à ses appels, il avait osé envoyer un message à mon frère Hicham lui disant qu'il m'avait prêté de l'argent et que je refusais de le lui rembourser.

Hicham, mon frère que j'avais informé bien avant de cette dette, lui a répondu poliment qu'il serait prioritairement remboursé dès que mon appartement serait vendu.
Je ne cachais rien à ma famille. Tout le monde savait que je passais par des moments de trésorerie difficiles.

Je n'étais pas pauvre, car mon local commercial qui était pratiquement payé valait quelques millions de Dirhams. Et mes plus grandes richesses sont mon éducation et ma dignité.

Quelques mois après, j'avais vendu mon appartement et j'avais encaissé la moitié du prix de la vente. Je lui avais fait un virement de la somme de cent-quatre-vingt mille dirhams. J'avais son RIB.
Je lui avais envoyé par mail le bordereau de la banque justifiant l'exécution de ce virement.

Étant donné qu'il avait été gentil de patienter pendant presque trois ans pour encaisser son argent, j'avais commandé via une application de ventes de produits de bonnes marques étrangères, une très belle montre pour hommes de la marque Emporio Armani que je lui avais offerte pour le remercier. Le coffret de cette montre comprenait le certificat d'authenticité de la marque et le certificat de garantie.

Le pire venant de cet homme c'est qu'il m'avait reproché de lui avoir offert une montre de contrefaçon. Quel Goujat !

Depuis, je l'ai bloqué sur toutes mes applications et je ne cherche plus à entrer en contact avec lui.

Moi qui pensais que notre amitié était inconditionnelle, j'étais déçue de son comportement.

Suite à cette grande déception, j'étais écœurée par la notion d'amitié entre hommes et femmes.

L'argent n'achète pas tout.

Et je suis tellement honnête et sérieuse dans mes relations que je ne dois rien à personne sur terre.

J'ai ma dignité, mes principes et mes valeurs qui me dictent ma conduite.

D'ailleurs, dès que mon appartement a été vendu, j'avais remboursé toutes mes dettes soit environ trois millions de dirhams.

Mon local de Tanger a été totalement payé et j'ai pu obtenir la main levée sur son hypothèque.

Je devais le plus grand montant à mon frère Hicham, environ un million de dirhams.

Je l'ai remboursé en totalité en le remerciant chaleureusement d'avoir été présent pour moi lors de cette éprouvante période.

Depuis, j'habite dans un appartement en location. Je n'en suis pas malheureuse. J'ai un grand confort. Je paye un loyer mensuel de sept mille cinq cents dirhams par mois et je suis heureuse de ne plus avoir un centime de dettes.

Cette période m'a été d'un grand et constructif apprentissage.

Il ne faut pas être dépensier dans la vie.

Il faut savoir être prévenant et épargner de l'argent pour les périodes de vaches maigres.

Il faut aussi faire confiance en Dieu. Il ne nous laisse jamais seuls pendant les durs moments.

Il nous envoie toujours de l'aide à travers un frère, une belle-sœur, une sœur, un ami…

Toute ma famille était présente durant cette période et je ne cesserai jamais de la remercier de son précieux soutien.

Je remercie aussi cet ami qui m'avait apporté son aide.

Il avait fait preuve d'indélicatesse envers moi en écrivant à mon frère, mais c'était uniquement parce qu'il ne me connaissait pas assez bien. Il avait eu des doutes quant à mon honnêteté.

Et comme dit le dicton marocain : « Celui qui ne te connaît pas te perd à jamais. »

Je n'avais jamais compté sur un homme dans ma vie à part mon père que Dieu ait son âme en sa sainte miséricorde et je n'allais compter ni sur cet ami ni sur personne d'autre pour m'entretenir moi et mes enfants.

Depuis cette période, j'avais créé un autre groupe de chant, car je ne voulais plus le croiser dans l'ancien groupe.

Je chante toujours de belles chansons d'Oum Kalthoum, d'Assala, de Majda Roumi…

Le chant était et constitue toujours pour moi une excellente thérapie qui nous permet d'extérioriser nos émotions et d'harmoniser nos chakras sur le plan énergétique.

Cette bataille pour préserver mes valeurs et principes est une éternelle escarmouche qui ne prendra fin qu'avec ma mort.

Je suis née pour garder la tête haute sur les épaules et je resterai ainsi jusqu'à mon dernier souffle.

Ceci étant, je reste humaine, altruiste, généreuse et à l'écoute des doléances des autres.

Sur un autre plan et pour que vous cerniez davantage ma personnalité, mon profil de personnalité selon le modèle de la process-communication m'avait dévoilé que j'avais une base du type empathique, une phase du type persévérant.

Les qualités de l'empathique sont la gentillesse, l'altruisme, l'esprit ouvert et le sens de communication.

Les qualités du persévérant sont les principes, les valeurs, les pensées et opinions.

L'étage suivant est le type rêveur. Ce profil plane lorsqu'il est en stress. Il apprécie la solitude, la créativité, la rêverie…

Lorsque je me sens dépassée par les événements dans ma vie et lorsque je passe par un stress intense, j'emprunte mon ascenseur émotionnel et je monte à cet étage supérieur du Type rêveur.

Je m'enferme, je profite de ma solitude pour me ressourcer, je plane, je danse et cet état émotionnel m'inspire pour écrire.

Combien de textes ai-je écrits sur mes murs de Facebook, sur mon blog, combien de poèmes ai-je concoctés lorsque je montais à cet étage ?

Je tiens d'ailleurs à partager avec vous, le fruit de ces inspirations de cet état flottant :
« J'aimerais être

J'aimerais être cette belle Colombe,
et semer l'amour et la Paix dans le monde.

J'aimerais être ce léger vent,
Soufflant un air d'espoir aux êtres vivants.

J'aimerais être cette brise matinale,
Apportant de la fraîcheur à votre vie banale.

J'aimerais être ce doux rayon de soleil,
Offrant à vos sens un magnifique éveil.

J'aimerais être cet air du temps,
Peignant votre vie aux couleurs du printemps.

J'aimerais être cette douce lumière,
Vous dévoilant la beauté en ôtant vos œillères.

J'aimerais être ce souffle de vie,
Éveillant vos désirs et envies.

J'aimerais être cet air de gaieté,
Et réaliser vos vœux souhaités. »

Chapitre 7
Ma bataille de femme chef d'entreprise

Comme je vous l'avais déjà annoncé plus haut, en avril 1995 j'avais pris la décision de m'installer à mon propre compte et de ne plus travailler pour le compte de qui que ce soit.

Le monde du salariat n'était pas adapté à ma situation de jeune et jolie femme victime d'un harcèlement sexuel quotidien.

De plus, avec le problème d'alcool de mon mari et mon statut de mère de deux enfants, je devais avoir une autonomie et pouvoir gérer mon temps comme je le voulais.

Durant les funérailles de mon père en mars 1995, le patron de mon frère Hicham était venu nous présenter ses condoléances. Et comme je le connaissais, je me suis assise à côté de lui durant le dîner du 3e jour pour lui faire la conversation. Il m'avait dit qu'il ne comprenait pas pourquoi je travaillais pour la société dans laquelle j'étais responsable marketing et que compte tenu de mes compétences, je pouvais gérer ma propre affaire.

Il m'avait demandé alors de réfléchir à représenter sa marque de meubles et d'accessoires de maison et de bureau en ma qualité de franchiseur.

Cette proposition n'était pas tombée dans l'oreille d'un sourd.

Après le quarantième jour du décès de mon père, nous avions pris contact. Il m'avait proposé alors de choisir une autre ville que Casablanca et Rabat.

Encouragée par mon frère Hicham qui était alors mon associé dans ce projet, nous avions opté pour la ville de Tanger compte tenu des habitudes européennes de consommation adoptées par la population du nord du Maroc.

Après plusieurs allers et retours à Tanger, j'avais trouvé un joli local de presque mille mètres carrés en plein centre-ville.

Il était brut. Je devais procéder à plusieurs aménagements estimés alors à plus d'un million de dirhams. Je n'avais que cent mille dirhams et mon frère également avait cent mille dirhams que nous avions placés comme capital de création de notre société.

Avec l'aide de mon cher beau-frère Aissa, ingénieur en génie civil, nous avions pu entreprendre tous les aménagements et bénéficier de très larges délais de paiement.

Je ne cesserai d'ailleurs jamais de le remercier pour ce sacré coup de main.

Mon mari m'avait également apporté son aide et en quelques mois seulement, le magasin était prêt.

Mon franchiseur, étant à ses débuts et voulant promouvoir sa marque, m'avait envoyé de la marchandise pour approximativement un million de dirhams. Un accord entre nous me permettait de régler ce stock de démarrage à ma convenance.

Grâce à la volonté divine et à l'aide de tous, mon showroom était ouvert au public en juillet 1995.

J'avais embauché du personnel commercial, du personnel technique et un chauffeur. J'avais acheté une camionnette de livraison d'occasion pour commencer.

Je travaillais plus de dix heures par jour. Je m'occupais des courses et de mes deux enfants.

Parfois, je ramenais mes deux enfants avec moi au magasin. Yazid, faisait du coloriage dans mon bureau et discutait avec mon assistante commerciale en espagnol pour apprendre à parler vite cette langue et Hasnaa dormait dans un lit bébé place à côté de mon bureau. Je la prenais parfois dans mon bureau pour lui changer sa couche et lui donner son biberon.

Une nouvelle vie avait commencé pour moi avec plus de responsabilités parentales et professionnelles.

Je devais faire preuve de sérieux pour pouvoir régler à temps la marchandise achetée à la centrale d'achat.

J'avais besoin d'un fonds de roulement important. J'avais fait une demande d'une facilité de Caisse de quatre cent mille dirhams à mon banquier qu'il ne voulait m'accorder qu'avec la caution solidaire de mon mari.

Scandalisée par cette condition sexiste et compte tenu de mon féminisme virulent, j'avais adressé un long courrier au directeur général de cette banque à Casablanca en lui rappelant qu'à l'ère où les femmes aux USA pilotent des navettes spatiales et font des expéditions sur la lune, au Maroc, on continue de sous-estimer les compétences féminines et de les rendre dépendantes de leurs conjoints.

J'avais envoyé ce courrier par fax un dimanche soir à vingt heures.

Le lundi à huit heures trente du matin, j'avais reçu un appel du siège de ma banque. Le directeur général de cette banque était en personne au bout de la ligne.

Nous avions eu un échange très constructif.

À la fin de notre conversation, il m'a annoncé que je pouvais bénéficier de ma facilité de caisse sans la caution solidaire de mon mari et qu'il serait honoré de faire ma connaissance si j'acceptais de venir lui rendre visite à son bureau à Casablanca.

J'avais compris alors qu'il fallait batailler au Maroc, pour obtenir ses droits les plus basiques. Et depuis ce jour, j'avais sorti toute mon artillerie de guerre pour batailler dans ce monde entrepreneurial.

L'entrepreneuriat féminin avait du chemin à faire pour pouvoir bénéficier des mêmes prérogatives que les hommes.

Cette année, il n'y avait que deux ou trois femmes chefs d'entreprises à Tanger.

D'ailleurs avant 1995, les femmes devaient obligatoirement obtenir l'autorisation de leurs conjoints pour pouvoir créer une entreprise. Moi-même, j'avais obtenu cette autorisation de la part de mon mari pour pouvoir créer ma société.

Cette loi n'a été abolie durant cette même année.

L'information avait vite circulé qu'à la tête du grand magasin de meubles de maison et de bureaux sis sur l'avenue Prince Héritier de Tanger, il y avait une femme qui le gérait.

Tous les hommes à la tête des collectivités locales, les commissaires, le chef de sûreté, les fonctionnaires des administrations, les personnes ayant une profession libérale... étaient venus par curiosité faire la connaissance de cette jeune patronne.

J'étais présente sur mon lieu de travail de neuf heures du matin à vingt-trois heures. Parfois je déjeunais sur place et parfois je rentrais chez moi, déjeuner rapidement avec mon mari et mes enfants et je revenais rapidement au magasin.

Je faisais toutes les tâches imaginables dans cette société.

Je passais les commandes des achats, j'étais à la caisse pour passer les commandes des clients, je m'occupais de la banque, de la décoration du magasin, de la gestion du stock, de la gestion des livraisons...

Il m'arrivait même parfois d'aider la femme de ménage pour que mon show-room soit toujours propre et attrayant.

Il m'est arrivé d'assurer quelques livraisons urgentes avec ma propre voiture.

Je composais également des bouquets de fleurs séchées pour décorer les centres de salles à manger que je vendais.

D'ailleurs ces bouquets de fleurs avaient tellement de succès à l'époque, que mes clients me les achetaient. J'en composais d'autres.

Ma société devenait de plus en plus connue non seulement à Tanger, mais dans toutes les villes avoisinantes.

J'avais de plus sympathisé avec la plupart de mes clients. Ils venaient en famille faire leurs achats et ça me permettait de développer mon relationnel.

Les enfants de mes clients m'appelaient tata.

Les hommes de Tanger me tenaient comme exemple. Un jour, une femme était venue au magasin en me demandant si j'étais la patronne. J'étais à son écoute et je lui avais demandé en quoi pouvais je l'aider. Elle m'avait annoncé crûment que son mari n'arrêtait pas de lui parler de moi en bien et qu'elle souhaitait rencontrer cette femme qui avait l'admiration de son mari.

J'étais toujours bien habillée, bien maquillée et souriante pour accueillir mes clients.

Ma clientèle était hétérogène constituée de chefs d'entreprises, des professions libérales, des femmes au foyer, d'hommes célibataires, mariés et même polygames…

J'étais devenue la Psy, la coach de vie des habitants de cette ville.

Certaines personnes venaient me raconter leurs problèmes avant d'acheter les meubles.

Pour se marier, pour divorcer, pour ouvrir un cabinet médical, un centre de soin, un magasin, une salle de sport… mes clients venaient m'exposer leurs besoins pour les orienter vers les choix les mieux adaptés à leurs goûts et à leurs budgets.

J'étais devenue l'amie de tous, sauf pour certains Rifains machos, qui ne voulaient pas avoir affaire à une femme dans le commerce.

Sans scrupules, certains hommes m'avaient fait part qu'ils souhaitaient traiter directement avec un homme plutôt qu'une femme et que je devais appeler mon patron pour les satisfaire. Ils tombaient des nues lorsque je leur annonçais que j'étais la patronne et qu'ils devaient me faire confiance pour les conseiller pour leurs achats. Au début, certains émettaient des réticences, mais ils finissaient par me faire confiance et m'écouter leur proposer les articles qui leur conviendraient.

Une fois, un client voulait acheter une chambre à coucher. Je lui avais demandé s'il pouvait ramener sa femme pour choisir avec lui un modèle qui leur plaisait à tous les deux.
Il m'avait annoncé que sa femme était restée sur ses ordres devant la porte du magasin pour l'attendre.
Sans le consulter, j'étais sortie devant la porte du magasin et lorsque j'avais trouvé une femme voilée je lui avais posé la question si son mari était rentré au magasin sans elle.
Elle avait acquiescé timidement de la tête.
Je l'ai fait rentrer et j'avais fait une leçon de morale à son mari en me basant sur les exemples de l'Islam et la glorification des femmes dans l'ère du Prophète Mohamed SAS. Cet homme m'a écouté religieusement. Le couple avait enfin choisi leur chambre à coucher d'un commun accord et pour me faire pardonner de m'immiscer dans leurs rapports de couple, je leur avais offert des boissons rafraîchissantes. Ils sont sortis contents de mon magasin.

Les clients me connaissaient et m'appréciaient, car j'étais constamment à leur écoute. Je leur accordais des crédits directs ou je m'occupais du montage de leurs dossiers de crédits via un organisme de crédit à la consommation.

Je connaissais leur intimité puisque je livrais ma marchandise chez eux.

Je connaissais leur vie secrète, car souvent certains hommes meublaient des appartements à leurs maîtresses ou certains hommes ramenaient à mon magasin leur deuxième épouse en me demandant de garder ce secret pour moi.

Je pratiquais le secret du bonheur, tels les trois singes, j'avais les yeux fermés, les oreilles bouchées et la bouche fermée.

Mon but était de promouvoir ma marque et de réaliser un chiffre d'affaires important. Je ne devais en aucun cas me mêler de la vie privée de mes clients.

Un ami chef de la Sûreté nationale à Tanger à l'époque me taquinait que j'avais une base de données aussi riche que celle de la police.

En cinq ans, mon chiffre d'affaires avait explosé et tous les habitants de Tanger, de Larache, d'Asilah et de Tétouan me connaissaient et appréciaient mes services.

En 2000 j'avais acheté les parts de mon frère Hicham et en 2002, j'avais négocié avec le propriétaire du local, l'achat de ce local.

Pour fêter cet évènement, mon magasin avait bénéficié que quelques nouveaux aménagements. Du marbre, du beau carrelage avaient remplacé la moquette. Une belle devanture avait été conçue avec une nouvelle enseigne lumineuse.

Il fallait batailler sur le terrain avec les mentalités du nord du Maroc, avec la concurrence et avec les produits de la contrebande qui entraient illégalement de Ceuta.

Sans oublier que je devais mener une bataille acharnée contre les clients douteux, le personnel qui malmenait parfois la marchandise et me causait beaucoup de casse. Une autre bataille était menée en parallèle pour lutter contre le vol de marchandises par des visiteurs spécialisés en la matière. Des caméras de surveillance avaient été placées à tous les coins du magasin et j'avais décidé de placer des agents de sécurité pour vérifier tous les articles qui sortaient.

Je devais également mener une bataille pour négocier avec les banquiers de nouvelles lignes de crédits à des taux très compétitifs.

L'ascension de mon chiffre d'affaires était vertigineuse ce qui a provoqué tout l'intérêt de mon franchiseur.

Il devenait de plus en plus intéressé par la région de Tanger et de ses alentours. La pression devenait forte et je ne devais commettre aucun impair avec lui, sinon, mon contrat de franchise risquait d'être annulé.

J'étais placée entre le marteau et l'enclume. Je devais atteindre les objectifs d'achats fixés par mon franchiseur et en même temps respecter les délais de paiement sans lui retourner aucun effet impayé. Les enjeux étaient importants. Je vivais une pression énorme d'autant plus que je passais par des turbulences sur le plan personnel avec mon mari.

En 2008, il m'avait exigé d'investir dans un magasin géant. Le business plan annonçait une estimation de quatre-vingt-dix-huit millions de dirhams entre l'investissement immobilier, l'aménagement du magasin, l'investissement en logistique, en ressources humaines et en marchandises.

Les banques voulaient me suivre à hauteur de cinquante millions de dirhams connaissant les mouvements bancaires que je générais.

Mon franchiseur m'imposait un aussi lourd investissement sans vouloir m'augmenter ma marge bénéficiaire. Ainsi, cet investissement ne valait pas la peine.

Il me fallait cinquante ans pour rentabiliser cet investissement.

Le jeu n'en valait pas la chandelle.

En 2010 et avec tous les problèmes personnels par lesquels j'étais passée, j'avais demandé à mon franchiseur de nous trouver une solution gagnant-gagnant.

Nous sommes enfin arrivés à un accord à l'amiable qui m'avait permis de sortir avec une somme d'argent de dédommagement pour la rupture du contrat de franchise.

Le Stock emballé devait être repris par la centrale d'achat. Le personnel devait être transféré avec son ancienneté à la société du franchiseur qui avait déjà commencé la construction d'un magasin géant à Tanger.

J'avais tout de même perdu plus d'un million de dirhams en casse et plus de deux millions de dirhams en factures correspondantes à de la marchandise livrée, mais non réglée.

Je n'avais ni le temps ni le courage d'entreprendre des visites de recouvrement.

Nous avions convenu que mon local serait loué à la centrale avec un loyer mensuel correct. Un contrat de bail de trois années avait été signé entre nous. J'avais sous forme d'effets signés les loyers de la première année. Mon franchiseur avait rempli ses engagements et j'en avais fait autant. Il ne me devait rien et je ne lui devais rien qu'une simple amitié inconditionnelle.

Cette belle expérience a pris fin en 2012. Je quittais mon magasin, mon bébé, je l'avais développé et laissé entre de bonnes mains.

Je pouvais enfin respirer et vaquer à d'autres occupations.

En juillet 2012, j'avais décidé de m'offrir un beau voyage avec mes enfants en Turquie. C'était le repos de la guerrière. Un repos bien mérité.

De 2012 à 2015, j'ai travaillé en free-lance pour des cabinets de coaching, consulting et formations.

Et en 2015, j'avais créé mon cabinet de coaching, consulting et de formations « Transcendance Conseil ».

J'ai depuis une clientèle diversifiée composée d'industriels, de banques, de sociétés de services, de particuliers et également de cabinets de formations et de ressources humaines qui ont recours à mes services pour accomplir des missions spécifiques.

Ma bataille continue sur le plan professionnel.

Ce domaine est très compétitif et nécessite de hautes compétences très diversifiées.

Je continue donc de me former également et de suivre diverses conférences et séminaires pour satisfaire les besoins de mes clients qui deviennent de plus en plus exigeants.

Chapitre 8
Ma bataille pour les études de mes enfants

Comme vous le savez déjà j'ai eu trois enfants de mon mariage. Mes enfants étaient adorables, bien éduqués et souhaitaient poursuivre leurs études universitaires.

Chose qui me réconfortait, car suivant le conseil de feu mon père, que Dieu ait son âme en sa sainte miséricorde, j'avais poursuivi mes études universitaires et grâce à celles-ci, j'ai pu gérer mon entreprise et vivre dignement.

Je considérais toujours mes trois enfants comme un cadeau précieux de Dieu. D'ailleurs, en toute confidence, je rêvais d'eux avant qu'ils naissent. Je les voyais dans mes rêves exactement comme ils sont nés. À chaque fois, c'était une femme angélique me remettait un bébé et me disait : « Prends-le, c'est le tien. » Dès que je faisais mon test de grossesse, j'avais la confirmation que j'étais enceinte.

Pour l'aîné, j'avais dit à mon gynécologue que ce n'était pas la peine qu'il me communique le sexe du fœtus, car je savais intérieurement que j'allais avoir un garçon aux yeux bleus.

Mon gynécologue, l'air amusé, me dit : vous avez effectivement 50 % de chances d'avoir un garçon, mais pour les yeux bleus, il ne pouvait rien me garantir. En effet, j'avais peu de chance, vu que le papa et moi avions les yeux marrons. À la naissance, je m'empressais de voir la couleur des yeux de mon bébé. J'ai mis deux longs mois à m'assurer qu'effectivement mon bébé avait les yeux d'un bleu azur.

Mon rêve était donc prémonitoire.

Pour ma fille, mon gynécologue me posa la question : Qu'avez-vous donc rêvé cette fois-ci, madame ? Je lui avais répondu : une fille avec les yeux marrons. Et c'était le cas.

Pour le troisième, mon gynécologue, qui avait pris l'habitude de me poser la question sur le sexe de mon fœtus avant de procéder à l'échographie, me dit : Et cette fois-ci avez-vous rêvé de votre bébé ? Je répondais spontanément : « Oh bien évidement, c'est un garçon aux yeux verts. » Mon gynéco me répondit : Désolé de vous décevoir madame, mais la science et mon échographe de dernière génération me dit que vous avez une fille. Choquée par sa réponse et certaine de mon rêve et du message reçu du Divin, j'ai dû refaire l'échographie à trois reprises.

Étant incertaine si je devais accoucher à Casablanca ou à Tanger, j'ai dû aller consulter une gynécologue à Tanger qui m'avait confirmé que j'avais une fille.

Voulant suivre mon intuition et faisant confiance aux messages divins via les rêves, j'ai tout de même acheté une layette unisexe. J'ai donc choisi des habits avec des couleurs pour filles et garçons.

Quelle fut grande ma stupéfaction et ma joie le jour de mon accouchement, dans la Clinique Sidi Amar à Tanger, lorsque la gynécologue me présenta ses félicitations pour la naissance d'un beau garçon de 3,5 kgs.

Dieu a encore prouvé qu'il était puissant et que les humains ne détenaient qu'une infime partie du savoir. Ne l'a-t-il pas dit expressément dans son livre saint : « Et vous n'avez reçu de la science qu'une infime partie ? »

Mon rêve prémonitoire était juste et réel et mon fils avait réellement les yeux verts.

Son prénom Amine qui signifie également amen à la fin de chaque prière, était une manifestation de gratitude envers notre créateur.

Mes enfants étaient donc un cadeau du Dieu et je devais en prendre soin précieusement.

En 2007, lorsque le papa de mes enfants avait eu des problèmes avec la justice espagnole, mon fils aîné Yazid passait le bac à l'institut SEVERO OCHOA à Tanger. Son lycée dépendant de la mission espagnole lui donnait l'accès après la réussite à l'examen de la selectividad à plusieurs Universités espagnoles.

Il fallait donc préparer les documents administratifs pour pouvoir lui demander un nouveau passeport et lui faire établir son visa d'études.

Selon la loi marocaine, seul le père avait le droit de faire la demande du passeport d'un mineur.

Dans notre cas, étant donné que le papa était détenu en prison en Espagne et selon les conseils de mon avocat, il fallait que je lance une procédure judiciaire auprès du tribunal de la famille pour justifier que le père était absent.

C'est enfin le juge de la famille qui au bout de deux mois de procédure qui m'avait donné cette autorisation et j'avais pu lui demander à la Wilaya de Tanger son passeport.

Une semaine après, le passeport était prêt.

Il fallait donc passer à la deuxième étape : la demande du Visa étudiant.

J'étais déjà divorcée, il fallait prouver ce divorce et prouver que j'avais la garde de mes enfants pour pouvoir me porter garante pour les transferts de fonds à mon fils pendant ses études. J'avais monté un dossier solide avec tous les justificatifs bancaires, fiscaux... pour que le visa de mon fils soit accordé.

Après sa réussite, il fallait donc se préparer pour aller l'inscrire dans sa nouvelle université. Le choix de la ville de Valence fut arrêté.

Voulant suivre l'exemple de mon père, j'ai laissé mon fils faire ses choix d'études et d'habitation.

Il était encore mineur donc il fallait que je l'accompagne à Valence pour entreprendre toutes les formalités nécessaires pour son installation.

Nous avions pris le vol Casa – Madrid – Valence en juillet.

J'avais réservé un séjour de dix nuitées dans un bon hôtel central.

Je devais lui ouvrir son compte bancaire en me portant garante jusqu'à sa majorité.

Je devais lui souscrire une assurance maladie pour l'année. Je devais aller dans une résidence privée pour lui trouver une chambre avec une pension complète.

Et enfin je devrais l'inscrire dans l'université de son choix : l'université polytechnique de Valence. Il s'y est inscrit pour suivre ses études d'Ingénieur en Agronomie.

Ce premier voyage m'avait coûté cher, car il fallait tout régler d'avance. Cependant en mère prévoyante, j'avais tout envisagé.

Il nous restait quelques jours pour faire du tourisme, acheter ce qu'il lui fallait pour sa chambre et attendre notre retour.

Ce voyage m'avait permis de me rapprocher de mon fils et de partager avec lui des moments magnifiques de complicité, de rires, de sport et d'allégresse.

En septembre, nous étions retournés en voiture avec trois grandes valises. Je l'avais installé dans sa résidence estudiantine « Colegio Mayor Galileo Galilei ». Je lui avais acheté un très bel ordinateur avec différentes applications et un smartphone de dernière génération.

C'étaient ses cadeaux de réussite au Bac.

Je lui avais aussi acheté un petit frigo de chambre et un VTT pour se déplacer dans la ville et faire de l'exercice.

J'étais retournée en déversant toutes mes larmes durant la longue route qui sépare Valance de Tanger.

Je n'avais aucun problème avec Yazid. Il était gentil, sérieux, studieux, responsable et économe. Donc, je devais couper le cordon ombilical et le laisser gérer seul sa nouvelle vie d'étudiant et son avenir.

À Tanger, je m'occupais de Hasnaa et d'Amine.

Hasnaa a toujours été également studieuse et responsable. Elle avait d'excellentes notes et s'intéressait à la musique métallique, à l'équitation et à la chorale. Je devais l'accompagner à toutes ses activités extrascolaires et lui remonter le moral, car l'histoire de son père l'avait beaucoup affectée. Je lui avais acheté sa guitare électrique et son ampli. Je lui payais ses cours d'équitation et ses séances d'épilation au laser.

Donc je réalisais tous ses desiderata. Je l'accompagnais chez le coiffeur, chez ses copines pour les anniversaires… Elle avait son chien Millow qui lui apportait un grand réconfort.

Cependant, je devais aussi gérer ses crises existentielles de l'adolescence.

J'ai eu la phase du piercing avec une grave infection au nombril.

J'ai eu droit à la crise existentielle pour avoir son tatouage. Elle a enfin réussi à me convaincre de le lui faire faire un. Ça nous a valu un déplacement à Ceuta dans une clinique spécialisée dans les tatouages. Une simple rose m'avait coûté deux cents euros. Mais j'avais la certitude que les conditions d'hygiène de cette clinique étaient excellentes.

Combien de fois, j'ai dû accompagner ma fille aux anniversaires et revenir la récupérer à des heures tardives de la nuit.

Elle avait droit à une jolie garde-robe des marques les plus tendance pour les jeunes. Elle avait un smartphone de dernière génération et une belle somme pour son argent de poche hebdomadaire.

Lorsqu'elle avait réussi à son baccalauréat et à la selectividad, je lui avais offert un beau voyage en Allemagne pour assister avec moi à un grandiose événement dans le cadre de mon association internationale. Elle était heureuse de ce voyage.

Je devais absolument tout faire pour compenser l'absence du père.

Je les emmenais voir un psychologue. Je les sortais au restaurant, je leur faisais des activités artistiques et sportives… Ma priorité était l'équilibre de mes trois enfants.
Mon équilibre était de les voir épanouis et heureux.

Par ailleurs, avec Amine j'ai eu beaucoup de difficultés à le cadrer et à lui faire apprécier les études.

Amine est un gentil garçon, très beau avec de grands yeux verts, un corps de sportif, très sensible… Il avait du mal à canaliser ses émotions et à gérer sa colère.

Parfois, il s'emportait en classe. Ce qui lui valait des avertissements et des expulsions de son collège.

À chaque fois, j'étais convoquée à des réunions avec ses enseignants qui se plaignaient de son hyperactivité en classe et son manque de respect à ses camarades de classe et parfois même à ses professeurs.

En 2008, il fut expulsé du collège pour faute grave. Il avait tapoté le crâne chauve d'un professeur. Ceci a fait rire ses camarades, mais a déplu à la direction.

Il fallait lui trouver une solution urgente. La seule école espagnole à Tanger l'avait expulsé. Il n'avait pas un bon niveau en langue arabe pour accéder ni à une école marocaine ni à une école militaire.

Et à chaque fois que quelqu'un me disait que je devais lui faire une formation professionnelle, cela m'enrageait. Non pas par ce que je méprisais les métiers manuels, mais ce n'était pas ce que j'avais prévu pour mon fils.

J'allais faire le maximum pour qu'il finisse ses études dans une excellente école.

J'avais donc choisi de l'inscrire à distance à Madrid. Je m'étais acquittée des frais d'inscription pour toute l'année par virement bancaire étranger.

Il devait se présentait à son collège pour y passer ses examens.

Pour ne pas le rendre asocial, je lui faisais prendre des cours intensifs dans une école privée. Il avait droit à trente heures de cours de maths, de physique, de langue espagnole, d'arabe… Cette école me coûtait mensuellement la somme de cinq mille dirhams.

Hasnaa a passé son Bac et sa selectividad avec brio et avait préféré étudier au Maroc à l'université Al Akhawayn à laquelle elle avait été admise après le concours d'accès.

En août 2012, je devais l'accompagner à Ifrane pour l'installer dans sa nouvelle université.

Ma voiture était chargée comme un camion poids lourd avec ses valises, ses livres, un frigo, des denrées alimentaires, des produits de nettoyage…

Les formalités d'inscription étaient effectuées. Hasnaa n'avait malheureusement pas bénéficié d'une bourse d'études.

Donc, je devais payer la totalité des frais de scolarité qui étaient estimés à la somme de cent vingt mille dirhams par an.

Entre les études de Yazid, de Hasnaa, d'Amine et des diverses charges de la maison et des extra, je tournais autour de la somme de cent mille dirhams par mois. J'avais abandonné toutes les dépenses ostentatoires. Aussi, j'avais annulé mon abonnement dans mon club de sport, je ne me faisais plus de massages, j'allais rarement chez le coiffeur et je ne pensais même plus m'offrir de nouvelles toilettes.

Amine avait réussi son année par correspondance, je devais absolument réussir à le réintégrer dans son collège. Or, le directeur était formel : il ne voulait pas de mon fils dans son collège.

J'avais tapé à toutes les portes. J'avais écrit à l'ambassade d'Espagne à Rabat, j'avais écrit à l'académie des études secondaires à Madrid, mais malheureusement, tous ces organismes m'avaient répondu que le directeur était souverain dans son collège et avait le droit d'accepter ou de refuser un élève.

Je n'avais aucune autre issue que de prendre mon fils et aller à Casablanca pour essayer de l'inscrire dans une école privée quitte à lui faire changer de système d'études.

Une amie m'avait donné les coordonnées d'une école française à Casa : l'école Rameau. Ils ont eu un entretien avec Amine et lui ont fait faire un test d'évaluation.

Il avait réussi les deux tests : oral et écrit.

Il y a été admis sans aucune contrainte.

Amine avait un atout. Je lui faisais faire des cours de langues aussi bien au centre culturel français qu'au centre culturel américain de Tanger.

Son niveau en langues étrangères était bon. Ce qui lui permettait de poursuivre ses études dans le cadre du système français.

Je sautais de joie pour mon fils.

Je l'avais sauvé en l'inscrivant dans cette école française.

Les frais de scolarité étaient de cinq mille dirhams par mois, mais j'étais prête à payer plus pour la scolarité de mon fils.

Amine était motivé pour étudier et m'avait promis de réussir sans problèmes.

Il était admis en quatrième année du collège.

Il lui restait trois autres années pour le baccalauréat.

Nous avions pris nos valises et nous sommes venus nous installer dans l'appartement que j'avais acheté et meublé à Casablanca.

Une nouvelle vie nous y attendait.

Naima avait reçu une demande en mariage dès notre arrivée à Casablanca. J'étais heureuse pour elle, car elle avait trente-huit ans et devait vivre sa vie et fonder un foyer.

Mais j'étais très triste de la voir partir habiter à Nador et nous quitter Amine, Millow et moi.

Elle avait vécu avec moi durant vingt-six ans. Elle était la nounou de mes enfants, ma sœur, ma cuisinière, mon amie...

Elle avait vécu avec moi tous mes drames et mes joies.

Mais c'était la loi de la vie : il fallait bien qu'elle vive sa vie et qu'elle fonde sa propre famille.

Je lui avais donc préparé son trousseau de mariage et offert des cadeaux pour sa nouvelle maison. Elle était heureuse et je l'étais également pour elle.

Mais en toute sincérité, je pleurais son départ tous les jours. Elle était tellement mignonne et bienveillante envers moi et mes enfants que j'avais du mal à faire le deuil de son départ chez elle.

J'avais embauché une nouvelle femme de ménage.

Je n'avais plus de chauffeur. Donc, je m'occupais moi-même des accompagnements de mon fils à l'école, à sa salle de sport et chez ses copains.

Le plus dur, c'était le réveil d'Amine le matin.

Je devais commencer à le réveiller à partir de six heures du matin pour qu'il puisse se lever de son lit à sept heures vingt minutes pour se préparer et rejoindre son école pour arriver à son cours de huit heures.

Quelle galère matinale et quotidienne je vivais !

Chaque jour c'était la course contre la montre et avec la circulation du matin, j'avais ma dose de stress matinal.

Millow avait droit à sa balade matinale après l'arrivée de notre femme de ménage.

Tout le quartier le connaissait. C'était devenu un très beau chien blanc et majestueux.

Tous les mois, j'allais voir Hasnaa à Ifrane. Parfois, Amine venait avec moi. Nous prenions un hôtel et profitons du week-end pour nous retrouver en famille.

Mon amie Amina venait aussi parfois avec moi. Nous profitions de ces heures de route pour partager nos problèmes, discuter de tout, chanter, raconter des blagues…

Avec Hasnaa, nous allions au restaurant, nous faisions des promenades dans la forêt, nous allions à un hôtel sur la route d'Azrou « Le Palais des Cerisiers » où nous prenions nos repas à l'hôtel Michlifen.

Ces sorties nous rapprochaient beaucoup.

Et de temps en temps, Hasnaa venait à Casablanca en train de Meknès ou en voiture avec des copines.

Notre vie s'organisait autour des études des enfants.

J'évitais de laisser Amine seul à Casablanca. Je l'emmenais avec moi partout : à mes séminaires, à mes réunions de mon association Internationale dans les diverses villes du Maroc…

Amine appréciait toujours de m'accompagner surtout à mes séminaires : il y assistait et s'intéressait à toutes les thématiques que j'animais.

J'essayais de filtrer ses fréquentations aussi.

À l'adolescence les jeunes sont très influençables et j'avais la hantise que mon fils s'adonne à des produits illicites.

Il était un fervent supporter du Raja, une équipe casablancaise de football. Il assistait pratiquement à tous les matchs que jouait cette équipe à Casablanca. Et cela m'inquiétait, car il y avait souvent des débordements des supporters dans le stade particulièrement lorsqu'il y avait un Derby.

En 2014 mon locataire du local commercial de Tanger passait par des difficultés de trésorerie et me renvoyait mes effets de loyer impayés. J'avais commencé à paniquer réellement.

Pendant toutes ces années, je me suis beaucoup privée de voyages et d'achats ostentatoires, mais le résultat est très satisfaisant.

Le magasin géant était devenu connu à Tanger et la clientèle avait été détournée du magasin central au magasin Géant. Intuitive comme je l'étais, je devinais que mon locataire allait vouloir rompre le contrat de bail.

Et c'est à partir de ce moment que les problèmes financiers ont commencé.

J'avais beau le supplier de respecter les échéances du loyer, mais j'étais toujours désagréablement surprise de constater que mon compte n'avait pas été crédité du montant du loyer.

Yazid était encore étudiant en Espagne, Hasnaa à l'université Al Akhawayn et Amine dans une école privée.

J'avais beau trouver des missions en coaching et en formations pour faire face à mes charges colossales, mais ça restait insuffisant.

Dieu merci que mon frère Hicham était là pour m'avancer de l'argent pour régler toutes ces charges.

En 2015, nous avions décidé d'un commun accord, mon locataire et moi de mettre fin à notre contrat de bail.

Le local de Tanger était libéré et il fallait absolument trouver un autre locataire sérieux pour que je puisse faire face à mes charges.

Vivant à Casablanca, je n'avais pas le temps d'aller à Tanger pour faire la tournée des agences immobilières pour leur confier la location de mon bien immobilier.

Ce local était resté fermé pendant deux longues et pénibles années.

Entre-temps, j'avais pioché dans toutes mes économies, vendu à des prix dérisoires mes montres de grandes marques, mes bagues en diamant, mes bijoux en or pour subvenir aux besoins de mes enfants.

Les bijoux ne représentaient à mes yeux qu'une futilité devant l'avenir de mes enfants.

J'avais raté mon mariage avec le père de mes enfants, mais je m'étais juré que je ne raterais pas leur éducation et que je me tuerais corps et âme pour atteindre cet objectif.

Les problèmes surgissaient de partout et les dettes s'accumulaient.

Ma famille était omniprésente dans cette dure période et je ne cesserai jamais de la remercier pour son aide précieuse.

Ma belle Sœur Salwa m'appelait tous les jours et prenait de mes nouvelles.

Ma sœur Wafaa prenait de mes nouvelles régulièrement et me ramenait des médicaments dont j'avais besoin pour mon hypertension.

Ma mère étant encore vivante, se faisait du mauvais sang pour moi. Elle n'arrêtait pas de demander à mon petit frère de veiller sur moi. Elle pleurait souvent en disant que sa fille chérie n'avait pas de chance.

Moi qui donnais de l'argent aux gens, moi qui faisais de très beaux cadeaux aux autres, moi qui recevais les gens royalement, j'étais dans la nécessité d'emprunter de l'argent pour continuer ma mission de mère. Je ne sortais plus, je n'invitais plus personne et je ne faisais plus de cadeaux.

C'est très dur de changer de standing.

Le papa de mes enfants prétendait qu'il n'avait pas les moyens de m'aider et qu'il essayait de se reconstruire après son problème. Donc, je ne comptais pas sur lui.

Chaque jour, mes dettes chez mon frère devenaient de plus en plus importantes.

J'étais arrivée avec lui à la somme d'un million de Dirhams.

Entre-temps, ma banque de Tanger à laquelle je devais encore la somme de plus d'un million de Dirhams pour l'achat de mon local me menaçait de le saisir si je ne trouvais pas de solutions à mes échéances impayées.

En 2016 et voyant que je m'enfonçais dans les problèmes et que je souffrais de cette descente aux enfers, mon frère Hicham, que Dieu le protège lui et sa famille, m'avait suggéré de lui louer mon local de Tanger.

Il m'avait aidé également à trouver un arrangement à l'amiable avec la banque. Donc, il procédait à un virement bancaire équivalent aux trois quarts du montant du loyer directement au compte débiteur pour payer la mensualité du crédit consolidé et je devais m'en sortir avec le quart du loyer avec mes missions de formations et de coaching. Je devais travailler au moins cinq jours par semaine pour y arriver.

Il fallait en parallèle régler les impôts, le fiduciaire de Tanger, le loyer de Tanger, payer mes dettes…

J'avais donc opté pour la politique de restriction dans mes dépenses.

Pas de vacances, pas d'extra, pas d'achats ostentatoires…

Ma famille me soutenait et comprenait les péripéties par lesquelles je passais.

La priorité était donnée aux études des enfants.

Heureusement que Yazid avait terminé ses études et avait obtenu son diplôme d'Ingénieur en Agronomie. J'en étais très fière.

Nous avions tous les deux trimé pour réussir une dernière matière : la botanique. Mais grâce à sa persévérance, à son travail acharné et à la volonté divine, il avait pu la décrocher.

Je lui disais toujours en le taquinant : nous avons réussi. Je suis co-lauréate de ton diplôme.

Il avait donc décidé d'aller passer un an au Vietnam. Il était autonome financièrement. Durant sa dernière année d'études, il avait travaillé comme professeur assistant et il avait gagné de l'argent qu'il avait soigneusement économisé pour son voyage en Asie.

Ce voyage a été une excellente expérience pour lui. Il avait été embauché comme chercheur dans une université et avait créé une start-up avec un ami argentin.

J'étais contente pour lui et soulagée d'avoir une grande dépense en moins.

Il a pu visiter plusieurs pays avoisinants : les Philippines, la Thaïlande, La Malaisie, L'Indonésie…

Hasnaa a pu obtenir avec d'excellentes notes son diplôme de l'université Al Akhawayne en décembre 2017. J'étais fière d'elle. Elle savait ce qu'elle voulait. Elle arrivait toujours à atteindre ses objectifs.

En janvier 2018, elle avait rejoint son fiancé à Marbella et avait trouvé un emploi qui me permettait de me rassurer par rapport à son avenir.

Son chemin était tracé et j'étais heureuse pour elle.

Le 28 juin 2018, elle avait convolé en justes noces avec son mari.

Quel bonheur !

Amine avait obtenu son baccalauréat français et avait décidé de poursuivre ses études à Bordeaux.

Nous avions été dans cette ville en août 2018 pour son installation. Il avait eu du mal à trouver un logement convenable et son université ne lui plaisait pas. Le 05 octobre, il avait pris la décision irrévocable de rentrer poursuivre ses études au Maroc.

Il avait passé un test d'accès à la Toulouse Businesss School le 06 octobre 2018. Il y avait été admis.

Il restait donc avec moi pour deux autres années. Son école avait une antenne à Barcelone et à Toulouse. Il pouvait poursuivre ses deux autres années dans l'une de ces deux villes.

Les problèmes se tassaient doucement et je vivais moins de stress.

J'étais toujours derrière Amine pour l'aider à rendre ses projets à temps et faire ses devoirs.

Nous vivions tous les deux avec Millow. La proximité et les moyens limités nous causaient parfois quelques petites frictions. Mais je le gavais d'amour et d'attentions.

Son équilibre, sa santé, son bonheur et ses études étaient ma priorité,

Je ne vivais plus pour moi, je ne vivais que pour lui.

Je l'avais inscrit dans une salle de fitness et une salle de CrossFit.

Je lui donnais de l'argent de poche.

Je l'accompagnais où il voulait.

Je ne le privais de rien.

Mais de temps à autre j'avais droit à ses crises existentielles.

Parfois, lorsque je dormais, il me prenait les clés de ma voiture et les donnait à un copain à lui qui avait son permis de conduire pour le faire sortir la nuit. Je m'en rendais compte le matin lorsque je constatais que mon plein de Gasoil avait nettement baissé.

Ce fut une période difficile, mais grâce à Dieu, Amine s'était vite assagi et s'intéressait de plus en plus à ses études.

De 2018 à 2020, il était parti étudier à Barcelone.

Il a obtenu son Bachlor.

J'étais très fière de lui.

Depuis septembre 2020 à ce jour, il étudie à Nice en France. Il est inscrit à l'école Amos pour obtenir un master 2 en Management de Sport.

Je suis très contente que toutes ces années de labeur aient été fièrement couronnées par sa réussite, par sa maturité et son épanouissement.

Aujourd'hui, c'est un magnifique jeune homme de vingt-quatre ans, très sportif, très responsable et très ambitieux.

Dieu est grand et miséricordieux.

Ma bataille pour l'éducation de mes enfants a été menée avec succès.

Je peux vous avouer aujourd'hui que je suis très fière de moi et de mes exploits.

Je suis sûrement née pour accomplir cette mission de vie et j'estime avoir rempli mon engagement avec mon créateur avec le plus grand dévouement et la plus grande humilité.

Chapitre 9
Mes batailles pour faire mes deuils

Dans mon humble vie, j'ai eu plusieurs deuils à faire.
Certains ont été faciles à faire et d'autres très difficiles.

Le deuil étant un processus constitué de plusieurs étapes.
La psychiatre Elisabeth Kübler-Ross a élaboré dans les années 60 la théorie des 5 étapes du deuil, auxquelles seraient successivement confrontés ceux qui subissent une perte : le déni, la colère, la négociation (le marchandage), la dépression (tristesse) et, enfin, l'acceptation.

Ce processus n'est pas linéaire. On peut sauter d'une phase à une autre, retourner à la phase précédente, rester longtemps dans une phase jusqu'à atteindre la phase de l'acceptation. Ce processus pourrait durer entre six mois à plusieurs années.

Pour ma part, je rajouterai au schéma tracé par Elisabeth Kubler-Ross, une sixième étape : Le Pardon.

À mon sens, sans cette étape, nous ne pouvons pas parler réellement de deuil.

Mon premier deuil fut le décès de mon père le 19 mars 1995. Ce fut un jour noir dans mon histoire. Bien que mon père m'avait donné sa bénédiction et s'était éteint dans mes bras, son décès était vécu telle une amputation d'un membre important.

Il était le pilier de la petite et la grande famille.

Il était l'exemple à suivre en honnêteté, en justesse, en droiture…

Il s'était éteint à l'âge de soixante-quatorze ans.

Ma vie allait complètement basculer dans le néant sans lui.

J'ai certes continué ma vie, réalisé mes projets, vécu des moments intenses émotionnellement. Cependant, il n'avait jamais quitté mes pensées.

Sa photo est accrochée dans un joli cadre dans ma chambre à coucher. Je le salue tous les jours et je prie pour lui à chaque prière.

À chaque fois que je décide d'entreprendre une action, je me pose la question, qu'en penserait-il s'il avait été toujours en vie ?

Le deuxième deuil était de quitter la ville de Casablanca pour habiter à Tanger. Comme ça s'est fait immédiatement après le décès de mon père, je devais vivre les deux deuils en même temps.

Avant, je ne conduisais pas sur l'autoroute toute seule. Mais depuis que j'avais dépassé cette peur et appris à devenir autonome sur la route et à me passer de mon mari ou du chauffeur pour me rendre à Casablanca, je me sentais plus heureuse et plus libre.

Le troisième deuil dans ma vie était la mort accidentelle d'un adorable chien appelé Kiwi que ma fille avait reçu cadeau. Il était adorable avec une belle touffe de poils blancs et noirs. C'était un caniche et ma fille lui avait appris à faire de jolis tours de cirque. Nous l'adorions à la maison.

Avril 2007 durant les vacances de Pâques, j'avais décidé d'emmener les enfants à Marbella. L'épreuve de mon divorce avec leur père, quelques mois plus tôt, les avait perturbés. Je tenais à leur remonter le moral et leur faire passer des moments agréables en Andalousie.

Nous avions laissé Kiwi chez son vétérinaire pour le garder durant notre absence.

Avant de le lui remettre, je lui avais donné un bon bain, parfumé, séché avec le séchoir.

En le déposant chez le vétérinaire avec son lit et sa gamelle, il émettait des cris de tristesse comme si c'était un bébé qui pleurait sa maman.

J'avais eu un mauvais présentement, mais je ne pouvais pas le prendre avec moi en Espagne, car je ne lui avais pas encore installé la puce électronique pour chiens exigible sur tout le territoire Européen.

Le lendemain, voulant prendre de ses nouvelles, j'avais appelé le vétérinaire qui tristement et avec l'air très désolé, m'avait appris que notre chien Kiwi s'était enfui de son cabinet vers notre domicile en courant très vite et qu'une voiture l'avait percuté.

Il me demandait alors l'autorisation de le piquer pour alléger ses douleurs.

Même si je venais de divorcer du père de mes enfants, je lui avais téléphoné en catastrophe en lui disant de se rendre immédiatement au cabinet de ce vétérinaire pour voir si réellement notre chien Kiwi était mourant ou c'était uniquement une blague d'un mauvais goût.

Une demi-heure plus tard, mon ex-mari m'avait envoyé des photos de notre chien agonisant sur la table du cabinet médical du vétérinaire.

J'ai eu beaucoup de courage à annoncer cette nouvelle à mes enfants. Et nous avions passé cinq pénibles jours à pleurer ce magnifique chien qui comptait beaucoup dans ma vie et dans celle des enfants.

Depuis, je ne voulais plus de chien à la maison.

Il a fallu que ma fille craque en 2011 pour Millow pour que je puisse le lui offrir.

J'espère que nous retrouverons Kiwi dans un monde meilleur et qu'il nous pardonnera de l'avoir laissé chez ce vétérinaire.

J'ai eu d'autres deuils à faire dans ma vie depuis : mon 2e divorce, ma rupture avec mon compagnon de Rabat, ma rupture de contrat de la franchise que je représentais, le départ de Naima suite à son mariage, la vente de tous mes bijoux et montres de grandes marques, la vente de mes autres voitures, la vente de mon appartement de Casablanca, mon départ définitif de Tanger en 2019…

Mon déménagement de Tanger à Casablanca fut une épreuve très douloureuse, car je devais le faire toute seule face à des montagnes de souvenirs dans cet appartement qui m'avait réunie avec mes enfants et mon ex-mari durant plus de vingt ans.

Cette ville est magique. Je la quittais avec les entrailles déchiquetées.

J'avais d'ailleurs concocté un petit poème en guise de reconnaissance à tout ce que cette ville m'avait apporté en bienfaits :

« Tanger, berceau de mes plus belles années,
Je t'ai rejointe avec plaisir pour fuir les tannées

Des grandes villes polluées et de leur bruit assourdissant,
J'ai retrouvé en toi un havre de paix étourdissant.

En quête du bonheur, de la réussite et de la popularité,
J'ai déployé en toi toutes mes riches potentialités.

Tanger, belle et grande ville mythique,
Tu m'as attirée par ton style sympathique,
Par tes ruelles étroites et tes remparts érigés,
Entraînée sur les descentes de tes avenues, j'étais dirigée.

Je fus projetée par ta douceur climatique,
Agréablement vers mon futur énigmatique.

Ville mystique, ville emblématique,
Ville de mes rêves irisés et aromatiques.

Dans ta blancheur immaculée j'ai noyé ma tristesse,
Dans ta splendeur inégalée je prêche la justesse.

Tanger, ville illuminée et riche en couleurs,
Muse de Matisse et Delacroix, tu fus leur bonheur.

Tanger, ville des grandes fascinations,
Paul Bowles a puisé en toi toute son inspiration.

Tanger ville émergente et blanche,
Les industriels sont fiers de tes zones franches.

Tanger ville aux deux sinueuses côtes fantastiques,
Ton littoral a fêté les noces de la Méditerranée et de l'Atlantique.

Tanger, ville aux deux majestueux ports,
Enrichissement de notre pays et sources d'apports

En marchandises diverses et de nombreux visiteurs,
Recherchant l'exotisme, le dépaysement et le bonheur.

Tanger, ville festive, bercée par les rythmes du jazz,
Ta musique entraînante fait taire les pies qui jasent.

Tanger, tombeau de mes peines et de mes larmes,
Je dors paisiblement bercée par la lueur de tes flammes.

De tes mille feux éblouissants tu brilles,
De ta joie de vivre, de ta température je suis fébrile.

Tanger, ville natale de mon fils Amine,
Je te remercie chaleureusement de cette étamine,

Qui peignit agréablement ma vie en rose,
Et comblât de joie mes jours moroses.

Je me suis abreuvée de la sève de ta joie de vivre,
Par ce bonheur ressenti, je jubile et je suis ivre.

Tanger, ville de ma quotidienne activité,
J'ai développé en toi un sens de combativité.
Je ressens pour toi une respectueuse affectivité,
Grâce à toi, je retrouve agréablement ma créativité.

Aujourd'hui je vis en toi et grâce à toi,
Demain je te quitterai sans doute avec un immense émoi.

Je suis, religieusement, ma destinée et mon destin,
Mais je ne souhaiterais nullement te quitter en clandestin.

Tu m'as ouvert tes grandes portes pour m'accueillir,
Et dans tes tendres bras chaleureux je souhaiterais vieillir.

Sinon, je reviendrai volontiers en pèlerinage,
Brandissant jovialement mon tambourinage.

Chantant l'hymne à l'amour et aux retrouvailles,
Avec cette ville qui sévit profondément dans mes entrailles. »

Chaque épreuve était douloureuse et me faisait passer par ces phases de déni, colère, marchandage, tristesse et acceptation.

La pire épreuve de deuil fut le décès de ma mère Rabia Sebti le 08 janvier 2017 vers 16 h. Elle s'était éteinte dans la clinique Assalam à Casablanca. Ma mère ne souffrait pas d'une grave maladie. Elle avait comme toute personne de son âge (quatre-vingt-dix ans) des problèmes d'arthrose, une bronchite chronique qu'elle faisait tous les hivers deux ou trois fois, des petits problèmes de rhumatismes. Elle n'était pas diabétique. Mais elle traitait une légère hypertension artérielle.

Quinze jours avant son décès, elle avait développé un OAP c.-à-d. un œdème pulmonaire.

Cette accumulation de liquide dans les poumons lui a causé des difficultés respiratoires.

Elle fut donc hospitalisée pendant quinze jours dans le service des soins intensifs de cette clinique.

Elle avait un essoufflement important ce qui lui causait de l'angoisse ; elle avait des difficultés à respirer et à parler en position couchée, elle souffrait d'une accélération du pouls et de la pression artérielle...

Elle fut bombardée de corticoïdes, de diurétiques pour éliminer l'eau des poumons, d'anticoagulants pour éviter une embolie pulmonaire, de tranquillisants pour calmer son angoisse... etc. Les corticoïdes ont fatigué son cœur et ses reins.

Au bout de quinze jours, son bilan s'était alourdi. Une insuffisance rénale a augmenté le volume de l'OAP. Son cœur a finalement lâché malgré son oxygénation par ventilation assistée.

Vingt-quatre heures auparavant, nous l'avions sortie de la clinique pensant que son état s'était amélioré.

J'ai dormi avec elle cette nuit. Je la serrais fort dans mes bras et priais pour elle.

Hélas, vers 2 h du matin sa tension artérielle avait observé un pic et elle souffrait de grandes céphalées.

Nous avons dû l'hospitaliser vers 3 h du matin.

Quelles heures plus tard, elle nous avait quittés.

Durant toute la matinée, elle nous suppliait à tour de rôle, mes frères et sœur, pour l'emmener chez elle. Elle avait le regard terrorisé. Je me demande si elle ne savait pas à ce moment qu'elle allait mourir.

Elle avait fait un arrêt cardiaque vers 14 h 30. Après une intubation et un massage cardiaque, son cœur était reparti. La clinique nous avait appelés pour être à son chevet.

Nous lui avions lu quelques versets du coran et la chahada dans l'oreille.

J'observais attentivement ses battements du cœur sur le monitoring jusqu'à la fameuse ligne droite. Son souffle s'était éteint dans cette clinique.

Le médecin Bilal dont je vous avais parlé lors d'un précédent chapitre était venu la voir.

Il est resté avec mes frères, beau-frère, sœur, belle-sœur et moi jusqu'à ce que son âme ait rejoint son créateur.

Il m'avait demandé de faire évacuer la chambre de la clinique pour pouvoir transporter son corps chez elle.

Le connaissant dans cette clinique, l'administration m'avait accordé rapidement le certificat de décès de ma mère.

Ils m'avaient demandé de revenir ultérieurement pour régler les frais d'hospitalisation.

Il avait appelé une ambulance pour ramener le corps de ma mère chez elle pour ses funérailles.

Quinze minutes plus tard, le corps de ma mère reposait sur son lit pour une dernière nuit.

Nous avions avisé nos frères en France qui se sont empressés de prendre des billets d'avion pour venir assister à ses funérailles prévues le lendemain à midi.

Le lundi, nous avions lavé son corps et habillé comme une jolie mariée.

Ma sœur, Mina, ma fille, ma nièce Leila, des femmes spécialistes pour cela… nous l'avions habillée se son linceul blanc.

Elle était belle sur son lit de mort. Je ressentais son âme planer au-dessus de nos têtes.

Le moment le plus déchirant fut lorsque nous nous sommes tous regroupés, filles, garçons, beau-frère et belle-sœur, petits-enfants, Mina... autour d'elle pour la saluer une dernière fois avant qu'on emporte son corps au cimetière.

Le Coran récité par les moussamiines résonnait dans sa maison pour l'accompagner à sa dernière demeure.

Et dans ma tête, un air de la chanson de Charles Aznavour, la Mamma, me revenait en tête :

> « Ils sont venus, ils sont tous là
> Dès qu'ils ont entendu ses cris
> Elle va mourir la mamma »

Elle voulait nous voir tous réunis, elle avait réussi à le faire en ce triste lundi.

Nous lui avions offert une très belle veillée religieuse le mardi soir chez mon frère Hicham.
Il y avait au moins trois cents personnes qui sont venues prier pour elle.
C'était son rêve et sa prière que nous soyons tous mobilisés pour ses funérailles, sa prière fut exaucée.
Son départ fut une déchirure pour nous tous.
Mais il nous a tous rassemblés.

Cela fait exactement cinq ans et six mois qu'elle fut partie, mais je ne pense pas avoir fait son deuil.
Je sens toujours son âme autour de nous lorsqu'on déjeune tous à son domicile les samedis.
J'ai un tableau, avec plusieurs photos d'elle, accroché sur le mur en face de mon lit.
Je dors en lui souhaitant une bonne nuit et je me réveille en la saluant.

Je prie pour son âme à sa chaque prière.

Ma plus grande satisfaction est que je sois revenue à Casablanca en 2012.

J'ai pu passer des moments magnifiques avec elle. J'ai pu la faire sortir, l'emmener chez le coiffeur, lui faire sa manucure et sa pédicure, profiter de sa gentillesse et sa présence nourricière.

J'avais même réussi à organiser des brunchs les dimanches avec tous les membres de la famille. Nous sortions à chaque fois dans un restaurant.

Ça lui faisait tellement plaisir de nous voir tous réunis.

Je la vois souvent dans mes rêves.

Je la sens parfois proche de moi.

Sa voix raisonne toujours dans ma tête.

De plus, je commence à lui ressembler avec son humour, sa gentillesse, ses citations et ses proverbes.

J'ai commencé à trébucher souvent comme elle le faisait.

Et parfois, je m'entends dire en souriant : Rabia sort de mon corps !

Depuis quelque temps, je regarde des émissions de Mediums qui entrent en contact avec les âmes défuntes.

Parfois, j'aimerais bien les contacter pour qu'ils me parlent d'elle et de son état dans l'au-delà.

Vais-je un jour faire son deuil ?

Ai-je envie de faire son deuil ?

Je ne pense pas, car je ne le souhaite pas.

Je l'aime toujours et je pense à elle tous les jours que Dieu a faits.

La vie est devenue insipide sans elle.

Elle était le catalyseur de la famille.

Elle aimait tout le monde et tout le monde l'aimait.

Elle réunissait la famille régulièrement autour d'un repas, d'un thé...

Elle était non mère unificatrice.

Le jour de l'Eid, sa maison était comme une Zaouïa.

Elle recevait facilement une cinquantaine de personnes à la fois.

Elle leur parlait à tous, s'en occupait un par un, les taquinait...

C'était une grande matriarche dans notre famille.

Les femmes comme elle n'existent plus de nos jours.

Merci hajja Rabea pour tout l'amour que tu nous as tous offert.

Que Dieu te loge dans son éternel Paradis. Amen.

Pour cette femme extraordinaire, j'avais concocté ce poème que je partage avec vous avec un grand plaisir :

« Oh toi, ma mère, femme exceptionnelle,

Porteuse de sentiments sensationnels.

Plus belle que ma vie et mon âme,

Tu es une très grande dame.

Plus douce que le velours et la soie,

Tu incarnes la pureté et la bonne foi,

Tu as su m'apporter amour et tendresse,

Tu m'as appris la délicatesse et l'adresse.

Tu as toujours veillé sur moi depuis mon enfance,

Avec amour, gentillesse et bienveillance.

Tu as toujours su être présente dans les durs moments,

M'épaulant courageusement et admirablement.

Tu fus présente à mes accouchements,

Me tenant la main délicatement.

Tu pris tendrement mes bébés dans tes bras,

Les couvrant de tendresse et de madras.

Tu fus présente le jour de leur Baptême,

Fêtant avec joie leur entrée dans ce système.

Tu fus présente pour leur circoncision,

Réglant les moindres détails avec précision.

Tu fus présente pour leur entrée à l'école,

Leur dictant les règles du protocole.

Tu fus présente à leur entrée au Collège,

Quelle joie pour eux et quel privilège.

Ma vie sans toi aurait été obscure,

Telle une douloureuse gerçure.

Mais tu étais et tu es toujours là, Dieu merci.

Tel un magnifique ciel bleu éclairci.

Tu fus telle la fragrance d'une belle rose,

Opérant dans ma vie une belle métamorphose,

Tu fus telle les gouttes de pluie éclaboussant la vie,

Te chérir et te bichonner sont ma seule envie.

Ta mélodieuse voix fut ma meilleure berceuse,

Ce qui fit de moi une grande chanceuse.

La douceur de tes caresses fut mon meilleur réveil,

Stimulant mon intelligence la laissant en éveil.

Tes conseils furent incontestablement formateurs,

Faisant de moi une femme d'un courage constructeur.

Je te dois énormément ma très chère mère,

Oh toi, l'être le plus angélique, qui m'est très cher.

Hélas, depuis quelques jours, tu nous as quittés,

Laissant nos entrailles et nos cœurs déchiquetés.

Nous sommes tous aujourd'hui Orphelins,

Nous recherchons ta présence en vain.

Notre seule consolation reste nos souvenirs,

De magnifiques moments de partage festifs.

Ton visage angélique ne quitte pas nos pensées,

Apaisant délicatement nos âmes angoissées.

Nos prières quotidiennes te seront dédiées,

de mots divins pour nos maux remédiés.

Veille sur nous tous Rabia mère-ange,

Nous entonnerons, à ton âme des louanges.

Tu resteras éternellement dans nos cœurs,

Avec ta bénédiction, nous resterons vainqueurs. »

Ce qui est extraordinaire, c'est que nous avons gardé sa maison ouverte. Rien n'a été changé. Tout est à sa place.

Lorsque je suis assise au salon, à sa place, j'entends sa voix me dire, baisse – s'il te plaît – le rideau, le soleil m'aveugle.

Je me dirige machinalement vers ce rideau électrique pour le baisser, exactement comme elle aurait souhaité que je le fasse de son vivant.

Enfin, parmi les deuils que je suis toujours en train d'essayer de réaliser c'est le deuil de la perfection.

C'est un idéal narcissique. Plus nous sommes focalisés sur l'image positive que nous souhaitons dévoiler au monde, et plus nous souffrons. Plus nous souhaitons satisfaire les attentes de tous et plus nous perdons de vue nos propres attentes.

Je deviens de plus en plus indulgente avec moi et avec les autres au fil des années.

Nul n'est parfait sur terre.

Plus nous essayons de nous rapprocher de la perfection et plus nous souffrons, nous stressons et nous faisons souffrir notre entourage.

Dieu est parfait.

Mais nous devons voir cette perfection de Dieu en nous.

Dieu n'a-t-il pas soufflé dans les narines d'Adam notre père sur terre un souffle de vie pour lui offrir la vie ?

Depuis, nous avons tous ce souffle de Dieu en nous.

C'est une part de Dieu. C'est une part de perfection.

Aimons là. Mettons là en évidence pour briller.

J'ai donc décidé de m'accepter et de m'aimer comme je suis, avec mes qualités et mes défauts.

J'ai également décidé d'accepter les autres et de les aimer avec leurs divergences, leurs forces et leurs faiblesses.

Je suis devenue le miroir des autres. Plus je me sens vulnérable et plus je ressens la vulnérabilité des autres.

La tolérance fait partie d'ores et déjà des qualités que je développe avec l'âge en parallèle avec l'amour et la paix.

Dans ce cheminement vers le deuil de la perfection, j'ai fait un énorme travail sur moi pour couper le cordon ombilical avec ma fille Hasnaa et la laisser voler de ses propres ailes.

Comme je vous l'avais déjà annoncé, elle est actuellement mariée et a un poste important dans une grande société immobilière spécialisée dans la vente de maisons luxueuses en Andalousie.

Elle est spécialisée dans le marketing digital et arrive à réaliser des merveilles dans ce domaine. J'en suis très fière.

Depuis qu'elle vit à Marbella, ma fille Hasnaa a changé de comportement avec moi.

Elle est plus distante, plus réservée et n'aime rien partager avec moi à part quelques photos de ses chiens.

Il est évident que cette situation m'avait énormément affectée.

J'étais très proche d'elle. Nous sortions ensemble aux restaurants, à la plage, aux divers Malls pour faire du shopping...

C'était ma fille, mon amie, ma confidente...

Avec le temps, j'ai compris que la course infernale vers la perfection de ma fille était vaine.

J'ai donc fait des efforts pour arriver à accepter ma fille telle qu'elle est devenue.

Elle n'est plus la petite fille de sa maman. Elle est devenue une femme avec ses propres priorités, ses propres besoins, ses propres rêves...

J'ai commencé à respecter son mutisme et son souhait de garder pour elle tous ses projets, ses soucis, ses désirs...

Elle est mariée à un jeune homme sympathique qui l'aime. Elle construit sa vie de femme mariée avec son mari et ses trois chiens.

Elle n'est sûrement pas parfaite, comme je ne le suis pas non plus.

Mais je l'aime très fort et je lui souhaite le meilleur dans sa vie.

Je ne lui exige plus rien. Je la laisse mener sa vie. Je la laisse effectuer ses choix et surtout vivre ses propres expériences de la vie.

Je ne la culpabilise pas non plus.

Je comprends qu'avec l'âge, l'environnement dans lequel on évolue, nos fréquentations, notre perception du monde… on peut changer de comportement et d'attitudes vis-à-vis des autres.

Cependant, elle doit savoir que je serai toujours présente pour elle si elle éprouve le besoin de partager avec moi ses soucis, ses rêves, ses projets d'avenir…

Chapitre 10
Ma bataille contre ma gentillesse

Pour ce chapitre, je me permets de partager avec vous une métaphore que j'ai imaginée pour parler de la gentillesse.

Elle me rappelle ma propre bataille contre cette qualité-défaut qui m'a souvent porté préjudice dans ma vie.

Cette métaphore me rappelait que je devais toujours faire preuve de prudence et de modération pour ne pas succomber aux effets secondaires de ma gentillesse.

« Métaphore de la colline de Sucre »

« Imaginez une belle colline toute blanche, reflétant ses éclats de mille feux. Elle est si blanche qu'elle pourrait être confondue à une belle colline enneigée.

Elle est différente des autres collines : elle n'est ni de terre ni de sable, elle est de sucre blanc tout étincelant, tout clair, tout savoureux...

La particularité de cette colline est qu'elle est à la disposition de tous.

Tout le monde peut se servir à volonté de ses richesses.

À proximité de cette colline, on pouvait apercevoir des files de personnes de tout âge remplissant des seaux de sucre et se dirigeant vers des chemins différents.

Lorsque le soleil diffuse ses rayons scintillants et chaleureux sur la surface de cette colline, le sucre se cristallise et reflète des faisceaux de lumière fééeriques.

Lorsque la pluie tombe, l'eau douce emporte avec elle une partie de ce sucre dissous vers les méandres des ruisseaux avoisinants.

Lorsque le vent souffle, les cristaux de sucre s'envolent et dépouillent cette colline de ses belles formes.

Les cristaux de sucre se déposent alors sur les fleurs et plantes avoisinantes.

C'est ce qui fait le bonheur de milliers d'insectes et particulièrement des abeilles qui viennent butiner les fleurs, se régaler de cette douce nourriture pour produire leur succulent miel.

Tout le monde trouve son compte face à cette riche nature à l'exception de cette colline de sucre qui de jour en jour perd sa splendeur, sa grandeur et sa majestueuse prestance.

En effet, tout le monde l'admirait et la vénérait.
Hélas, avec le temps, elle devint un petit tas de sucre insignifiant.

Cette colline de sucre c'est vous.
Ce sucre éclatant et délicieux, c'est votre gentillesse.

Plus vous êtes gentils et bienveillants et plus les gens abusent de votre gentillesse et de votre bienveillance.

Tous ces petits gestes sympathiques que vous accomplissez en faveur des autres deviennent avec le temps de l'acquis.

Et plus vous offrez de votre temps, de votre énergie, de votre argent et de votre engagement et plus vous devenez à la merci de votre entourage et plus ils en abusent.

Par ailleurs, à partir du moment où vous vous affirmez en disant "non" à leurs doléances, ils vous en veulent, ils vous haïssent, ils vous écartent de leur chemin.

À l'instar du sucre, la gentillesse est douce et savoureuse. À dose modérée, elle est enrichissante et constructive. À dose exagérée, elle peut être toxique et causer des préjudices irréparables.

Ainsi, il va falloir faire preuve de prudence pour en utiliser la bonne dose pour adoucir les relations, lubrifier la communication tout en s'affirmant sainement sans se perdre, sans perdre ses objectifs de vue et en donnant du sens à son comportement et à ses attitudes. »

Depuis mon jeune âge, je mène cette bataille pour ne pas subir les conséquences d'une gentillesse excessive. J'avoue avoir été souvent prise pour une écervelée tellement je fus gentille et attentionnée.

Mais, depuis mes grandes déceptions en amour et en amitié, j'ai appris à doser cette qualité et à l'utiliser qu'avec ceux qui la méritent réellement.

Pour ceux qui ne la méritent pas, je n'ai pas recours à la méchanceté, car je ne sais pas ce que ce mot ni ce sentiment signifient, mais j'ai appris à éviter les gens malveillants pour ne pas devoir leur faire bénéficier de ma gentillesse.

En développant davantage mon assertivité, j'ai appris à dire « Non » d'une manière saine sans devoir me justifier ni blesser autrui.

Chapitre 11
Ma bataille contre les forces du mal

Avec toutes mes péripéties personnelles avec mes ex-maris et ma rencontre qui avait enregistré un échec sentimental, je savais que je n'étais plus la même. J'avais des crises d'angoisse et je n'arrivais plus à dormir dans le noir absolu. Il me fallait toujours une lumière allumée pour me rassurer.

Je ressentais une présence dans ma chambre, dans mon lit, un souffle proche…

Je ne devenais pas paranoïaque. Mais ce souffle était tantôt froid, tantôt chaud…

En lisant des ouvrages sur les diverses énergies, j'avais lu que la présence d'une entité autre que les humains pouvait se manifester par ce léger souffle froid ou chaud.

Le chien de ma fille qui dormait sur mon lit ressentait également des choses étranges. Il aboyait souvent la nuit et réveillait les voisins.

Nous savons tous que les chiens perçoivent des choses que les êtres humains ne perçoivent pas.

Je ne cessais de lire les versets du Coran qui nous protègent des forces du mal et des entités maléfiques.

J'avais un ami français, J.P de Larue, Juge dans la ville du Havre qui était également magnétiseur. Il me disait que je souffrais de mauvais sorts qui m'ont été jetés et que je devais lutter contre les forces du mal.

Il m'avait d'ailleurs demandé de prendre un morceau de plomb, de la passer sur tout mon corps, de le faire fondre dans l'eau et de m'essuyer le visage et le corps avec cette eau.

C'est une technique connue chez les voyantes au Maroc.

Mais, je refusais de m'adonner à ce genre de pratiques médiévales.

Cet ami âgé de plus de soixante-dix ans essayait de me nettoyer des ondes négatives de loin et de m'envoyer des énergies positives.

Je me sentais légèrement mieux puis mon cas s'aggravait de plus en plus.

Je ne savais pas comment m'en sortir d'autant plus que mon éducation ne me permettait pas d'aller consulter des voyantes pour m'aider à me libérer de ces forces du mal.

Je faisais des cauchemars horribles. Je me réveillais en sursaut.

Mon fils Amine qui vivait encore avec moi, me réveillait et me donnait souvent un verre d'eau pour réconforter.

Je ressentais des ondes négatives autour de moi.

Ma seule thérapie était le Coran. Je lisais régulièrement le Coran et je mettais parfois des vidéos sur YouTube toute la nuit pour nous protéger mon fils et moi.

Je savais que ces ondes négatives étaient en rapport avec les mauvais sorts qui m'avaient été jetés à Tanger et par les ex-copines de mon ex-compagnon de Rabat.

Sauf que lorsqu'on est intellectuel, on a du mal à imaginer ce monde occulte et toutes ses forces destructrices qui peuvent nous envenimer la vie.

C'était durant cette période que tous les problèmes du monde m'étaient tombés sur la tête.

Mon teint devenait sombre avec des tâches de mélasma, je pleurais sans arrêt, et je respirais difficilement avec la sensation d'être étouffée.

Je m'enfermais chez moi.

Un jour je fis la connaissance d'un monsieur qui paraissait très sympathique et intellectuel. Il était français, installé à Rabat et gérait une société de transactions immobilières.

Jean Pierre était très drôle et me faisait rire par ses blagues.

Il me raconta un jour une histoire tirée de la mythologie égyptienne.

Sauf que les principaux acteurs étaient lui et moi.

Il croyait tellement en cette histoire que cela m'intriguait.

Il prétendait que lors de la XVIIIe dynastie des Pharaons (nouvel empire), je fus fille d'un pharaon du nom de Amenhotep III et de la reine Tiyi.
J'étais l'épouse d'un pharaon (mon frère et époux s'appelait Akhénaton) et mère d'un Pharaon Toutankhamon.
Mon nom fut Iset. J'étais la déesse protectrice et salvatrice de la mythologie égyptienne.
Lors des recherches archéologiques, je fus appelée Younger Lady et ma momie fut répertoriée sous le code KV35YL.
Ce sont les tests ADN effectués en 2010 qui avaient dévoilé cette affiliation.
Jean Pierre croyait fermement en la notion de réincarnation.
Chaque jour, il me téléphonait pour me raconter une partie de cette histoire.
Je fus intriguée par son récit. Et à chaque fois qu'il me racontait une partie, j'allais à mon encyclopédie Bordas vérifier les faits rapportés dans le volume consacré à la mythologie égyptienne.

Il prétendait que dans cette vie, il était l'architecte de mon père et avait conçu tous les passages secrets menant à nos appartements.

Et c'est ainsi qu'ils les empruntaient la nuit pour venir m'espionner.

Il fut amoureux de moi en cachette durant des années avant de devenir intimement lié à moi.

Son histoire a voulu que nous devenions amants et de cette histoire était né notre fils : Toutankhamon.

Mon frère et époux était stérile et ne pouvait pas enfanter.

Et quand mon père Amenhotep III avait découvert cette vérité, il ordonna qu'on me tue.

Je fus tuée par un coup derrière la tête.

Quelle histoire !

J'étais la mère du plus riche et jeune pharaon. Il fallait donc que j'aille réclamer mon héritage.

Le plus intrigant est que j'ai réellement une trace de coup au crâne au niveau du lobe pariétal. Je ne sais pas comment je l'ai reçue.

Et si c'était la trace du coup fatal qui m'avait tuée lors de cette ancienne vie ?

Je l'écoutais l'air amusée. Mais j'essayais aussi d'imaginer cette vie et cela me permettait de sortir de mes soucis quotidiens et de rêvasser.

L'air très sérieux, Jean Pierre jurait sur tous les Dieux que cette histoire était la nôtre dans une ancienne vie de nos âmes et que nous étions destinés à nous rencontrer dans cette vie, car nous étions des âmes jumelles.

En toute sincérité, cette histoire m'amusait au début. Mais plus Jean Pierre s'enfonçait dans son délire et plus ça commençait à m'agacer.

Mais compte tenu de l'insistance de Jean Pierre, je m'inquiétais.

Je me demandais si j'avais affaire à une personne équilibrée ou à un malade mental souffrant de bouffées délirantes d'un trouble bipolaire avec des manifestations maniaco-dépressives.

La maman de Jean Pierre est médecin en France. Je lui avais téléphoné un jour pour lui parler de ses délires. Nous en avions longuement discuté. Elle savait que son fils avait des pouvoirs surnaturels. Elle m'en avait parlé. C'était une femme très posée et très cartésienne.

Jean Pierre m'avait dit que sa mère m'avait beaucoup appréciée suite à cet appel.

Jean Pierre prétendait que nous n'avions pas les mêmes Dieux.
Selon ses propos, je vénérais dans mon ancienne vie Amon.

Amon est l'une des principales divinités du panthéon égyptien dieu de Thèbes.
C'est le Dieu de la fertilité qui favorisait les moissons et permettait au peuple d'Égypte de manger à sa faim.

Et lui vénérait **Anubis** : c'est un dieu funéraire de l'Égypte antique, maître des nécropoles et protecteur des embaumeurs, représenté comme un grand canidé noir couché sur le ventre, sans doute un chacal ou un chien sauvage, ou comme un homme à tête de canidé.

Cette divinité était assimilée à Satan et favorisait tous les travaux occultes des Pharaons et de leur peuple et jetait sa malédiction sur les personnes qui ne la priaient pas.

Jean Pierre voulait me faire comprendre que j'étais une adepte de Dieu qui prône pour le bien et que lui était un adepte de Satan donc prônait pour le mal.

Cette histoire que je trouvais originale et romantique au début, commençait à m'inquiétait de plus en plus.

Et depuis que mon ami virtuel commençait à me parler de Satan et du mal, je devenais sceptique.

Certes son discours était cohérent et j'avais vérifié tous ses propos dans les volumes dédiés à la mythologie égyptienne.

Mais en tant que musulmane, je ne croyais pas en la réincarnation et je ne voulais pas m'aventurer avec lui sur terrain glissant des forces du mal.

Jean Pierre avait et a toujours eu des pouvoirs impressionnants. Il pouvait lire mes pensées. Il pouvait lire de Rabat, mes messages destinés aux autres sur mon téléphone, il savait tout de moi sans que je ne lui en parle.

J'étais gentille avec lui par ce que je ne voulais pas réveiller le mal qui l'animait.

Il devenait insistant, intrusif, il m'avait un jour parlé de mariage et cela m'inquiétait de plus en plus.

Je ne me voyais pas du tout mariée à lui.

J'allais sûrement finir dans un asile psychiatrique si cette idée me traversait l'esprit.

Bien que cet homme soit jeune (la cinquantaine), beau, grand de taille, élégant avec de grands yeux bleus, il avait un regard assez hypnotisant et ça me terrorisait.

Il était divorcé d'une femme marocaine avec laquelle il avait eu un fils.

Il voulait absolument que j'accepte de l'épouser en prétendant qu'il avait son certificat attestant sa confession à l'Islam.

Cette idée ne m'effleurait pas du tout l'esprit.

Il valait mieux l'avoir comme ami que comme ennemi.

Je ne dormais plus. Il me téléphonait à des heures impossibles. Et bien que je le bloquais, il arrivait à me contacter, je ne sais par quel moyen.

Étant partie en voyage en Égypte en 2015, j'étais impatiente d'aller au musée du Caire pour vérifier de mes propres yeux tout ce qu'il m'avait raconté concernant cette ancienne vie.

Dès que j'étais arrivée, la guide qui était chargée de notre visite m'avait abordée en me disant que j'avais des traits du visage pharaoniques. Lors de notre visite du Caire, elle nous invita au musée du Papyrus. Et là, elle prit ma main et me dirigea vers un mur avec des portraits des pharaons et leurs épouses. Elle s'arrêta devant un portait et me dit : c'est vous madame. Vous devez acheter ce portrait. Il vous ressemble tellement.

Elle avait réussi à me convaincre de l'acheter.

Aujourd'hui, bien encadré, ce portrait de ISIS (Iset) orne un mur de mon hall.

En visitant le musée du Caire, j'étais tout simplement perplexe.

Il m'avait donné tous les détails de la situation des sarcophages, les allées, les salles, les momies…

Je lui avais d'ailleurs téléphoné de ce musée en lui décrivant les lieux et les momies.

Il avait l'air ému. Il pleurait au téléphone.

Cette visite fut très émouvante.

C'est une histoire irréelle, mais parfois j'ai envie d'y croire.

Et s'il avait raison ? Et si, effectivement, mon âme avait vécu dans le corps de cette momie appelée Younger Lady ?

Bref, en revenant à Casablanca, je devais absolument, l'écarter de mes connaissances et oublier cette ancienne vie de mon âme.

J'avais du pain sur la planche dans cette vie actuelle.

Bloquer Jean Pierre n'était pas une solution. Il fallait que j'aie recours au Coran pour me protéger de lui et de ses pouvoirs.

Si Ali un monsieur pieux que m'avait présenté une amie coach, était venu me lire le Coran régulièrement sur ma tête et sur la tête de mon fils. Je lui en avais parlé.

Après, une consultation, il m'avait annoncé qu'il était l'incarnation du mal et qu'il fallait que je m'en protège par tous les moyens.

Jean Pierre devait sûrement pratiquer les rituels de la Kabbale.

Et moi je ne suis pas en mesure de me battre avec ces forces maléfiques.

Si Ali m'avait expliqué que je faisais partie de ces personnes spéciales qui ont « Une baraka » et que malgré tous les mauvais œils, les mauvais sorts, la jalousie et les maléfices de Jean Pierre ou d'autres personnes, j'étais protégée par mes anges et par les serviteurs de Dieu. Chose qui était réconfortante.

Même dans le cadre associatif, étant très intuitive, je ressentais les mauvaises ondes de loin.

J'avais décidé de combattre moi-même ces ennemis invisibles qui me pourrissaient la vie.

La lecture du Coran était la première thérapie à observer et arme à utiliser.

Certains versets coraniques sont destructeurs de ces forces du mal et d'autres sont protecteurs.

Ainsi, tous les jours, je trouvais un moment pour lire ou écouter le Coran sur YouTube.

Pour arriver à comprendre cette science que j'ignorais, il m'a fallu des centaines d'heures de recherches sur internet, YouTube, sur les livres de l'islam…

En scientifique cartésienne, je devais comprendre et ne pas appliquer des recettes archaïques qui n'avaient aucun fondement.

Je consacrais tous les jours une partie de mon temps à la prière, aux invocations de Dieu…

Je nettoyais ma maison avec de l'eau salée et de l'eau informée par le Coran.

En 2021 avec le confinement, j'ai décidé de suivre une formation en thérapie énergétique puis une formation en Reiki.

Ces deux disciplines m'ont ouvert des opportunités d'approfondissement de mes connaissances par mes lectures et des vidéos trouvées sur YouTube.

Et c'est ainsi que j'ai fait la rencontre virtuelle d'un Médecin oncologue qui s'était reconvertie à la naturopathie, aux médecines chinoises et à la thérapie énergétique.

Luc Bodin, cet excellent thérapeute français offre chaque semaine des soins énergétiques intemporels que j'ai commencé à suivre à la lettre.

Je suis en contact avec lui sur LinkedIn, il m'apporte des conseils très enrichissants.

Depuis que je suis ses soins avec un grand intérêt, j'ai commencé à me sentir mieux et à dormir mes huit heures de sommeil sans crises d'angoisses.

Je ne sens plus ce souffle froid dans ma chambre et dans mon lit.

Je me sens libérée de ces forces du mal et de ces implants.

Ma bataille est continue, car nous sommes constamment exposés aux mauvais œils, à la jalousie et aux autres sentiments négatifs autour de nous.

Une chamane vivant en Argentine, appelée Alejandra, m'avait également donné des prières à lire pour me protéger.

Cette Chamane après une consultation sur mes annales Akashiques, m'avait annoncé et à ma grande surprise, qu'effectivement j'avais vécu plusieurs vies avant celle-ci et j'étais venue sur terre une fois en tant que fille, femme de Pharaon et mère de pharaon et une autre fois Tsarine et que j'avais une vielle âme.

Selon la définition de celle-ci, une vieille âme est une âme qui a atteint un niveau d'intelligence, de sensibilité et d'intuition supérieur grâce à sa conscience et à la relation avec le temps dans lequel elle vit.

Ses propos convergeaient avec ceux de Jean Pierre.

D'ailleurs, il m'avait téléphoné quelques jours après cette consultation et m'avait dit qu'il était content de l'évolution de mon degré de spiritualité et que je comprenais enfin qu'il ne racontait pas d'histoires.

Selon lui, nous sommes des âmes jumelles et nous finirons un jour notre vie ensemble.

L'avenir nous en dira plus. En tous les cas, ce ne sera pas lors de cette vie actuelle.

Pour m'aider à me nettoyer sur le plan énergétique, j'ai commencé à participer à des cercles de femmes durant la période de la pleine lune. Ça nettoie profondément des énergies négatives et l'énergie du groupe augmente notre taux vibratoire.

Ce sont des soins de guérison basés sur l'énergie du groupe, la sororité, la transmutation, la méditation, les mantras, les chants holistiques...

Le plus extraordinaire est que plus j'élève mon taux vibratoire et moins j'ai peur de ces ondes négatives et des forces du mal.

À croire que nous ne vivons pas dans les mêmes dimensions.

C'est ce que Luc Bodin ne cesse de répéter. Plus nous élevons notre vibration dans l'amour inconditionnel (528 HZ) et plus nous nous éloignons des forces du mal qui vivent dans le bas astral.

Je me fais faire également des soins de reiki qui me permettent de faire circuler mes énergies et d'harmoniser mes chakras.

J'ai également recours à la chromothérapie qui est une méthode énergétique naturelle qui vise l'harmonisation physique, psychique et émotionnelle, à l'aide de lumières colorées projetées sur le corps. Cette thérapie lumineuse m'aide à me calmer et à nettoyer mes chakras et à permettre à l'énergie de circuler facilement dans mon corps.

Il y a un an, je ne pouvais pas vous parler ainsi. Mais grâce à mes lectures, aux rencontres bénéfiques que je fais dans ces cercles de soins par sonothérapie ou soins énergétiques collectifs ou séances de guérisons à distance et surtout grâce aux formations que j'ai suivies studieusement en thérapie énergétique et en Reiki, je me sens libérée d'un lourd poids d'énergie négative.

La prière, les invocations, le chapelet... m'ont beaucoup aidée à constituer une armure solide qui me dote d'une puissante force. Chaque nom de Dieu a une forte énergie, l'invoquer avec ses quatre-vingt-dix-neuf noms est une bénédiction protectrice.

J'utilise des techniques du Feng shui pour harmoniser les énergies chez moi.

Je suis également devenue une adepte de l'Ho'oponopono cette tradition sociale et spirituelle venue d'Hawaï pour se repentir et se réconcilier avec soi et avec les autres.

Je fais brûler des bâtonnets de palo santo, un bois purificateur et les morceaux d'encens ramenés d'Asie.

Mon photophore dégage toujours des senteurs agréables d'huiles essentielles purificatrices.

Ma spiritualité étant développée, je deviens de plus en plus intuitive et mes rêves deviennent de plus en plus prémonitoires.

Ma créativité a été également boostée par cette belle spiritualité.

Je m'intéresse de plus en plus aux arts et je deviens de plus créative et zen.

Mon objectif actuel est de me mettre à la peinture à l'huile et à l'acrylique. J'ai plusieurs idées qui se bousculent dans mon centre de créativité. J'espère pouvoir les concrétiser au courant de l'année 2023.

Aucun psychiatre ne pourrait comprendre à quel point c'est dur de lutter contre les forces du mal sauf ceux qui y ont déjà été exposés.

La psychiatrie ne connaît que la partie apparente de l'iceberg.

Or, il y a tellement de phénomènes étudiés en neurosciences, en physique quantique, en ésotérisme qui restent inconnus et encore inexpliqués par la science.

Les forces du mal existent et dégagent des énergies négatives qui nous infestent.

Ce sont des ennemis invisibles que nous ne voyons pas.

Ce n'est ni de la schizophrénie ni de la paranoïa.

Mais nous pouvons les percevoir par diverses manifestations si notre intuition est forte. Nous les voyons également dans nos rêves.

De plus, plus la personne est croyante et pratiquante et plus elle se trouve exposée à ces forces malveillantes.

Toute ma gratitude est adressée à Dieu et à ces êtres de lumière qui nous protègent inlassablement et inconditionnellement du mal.

Je pensais auparavant que seules les personnes incultes pouvaient tenir ce discours.

Or depuis, que je m'intéresse à ce domaine, je rencontre des personnes extraordinaires, spécialistes en physique quantique, en naturopathie, en thérapie énergétique, en sonothérapie, en chamanisme... qui donnent des conférences et des soins dans le monde entier.

Toutes ces personnes comprennent de quels phénomènes paranormaux je parle.

Parmi ces personnes, nous retrouvons de grands professeurs comme le réanimateur Jean Jacques Charbonnier qui s'est consacré aux EMT (Expériences de mort imminente) et aux expériences de transcommunication hypnotique (TCH), Anne Givaudan qui a écrit plusieurs livres sur les voyages astraux ces expériences mystiques de l'âme hors du corps physique, Natasha Calestrémé avec ses divers protocoles de guérison décrits minutieusement dans ses deux livres « La clé de votre énergie » et « Trouver ma place », le professeur Olivier Madelrieux, le Dr Luc Bodin...

Ma maturité m'a guidée vers une belle ouverture d'esprit et m'interdit tout jugement de ces personnes qui s'intéressent à des domaines ésotériques.

Et comme le dit si bien Frank Zappa : « Un esprit est comme un parachute. Il ne fonctionne qu'une fois ouvert ».

Les sciences sont d'une diversité et une immensité extraordinaires et seul Dieu détient la totalité du savoir.

S'instruire, se documenter sur ces nouvelles sciences et s'intéresser à des moyens de guérison autres que ceux répertoriés par la médecine conventionnelle est fortement recommandé à tous.

Chapitre 12
Ma bataille dans le domaine associatif

Je suis une femme marocaine et fière de l'être. J'aime mon pays et j'apprécie d'apporter ma valeur ajoutée à la communauté marocaine.

Étant une fervente bénévole, j'ai intégré plusieurs associations.

De plus étant une grande féministe, j'ai toujours essayé de défendre la femme marocaine et de lutter contre tout type de discrimination.

La notion du genre étant importante dans mon système de valeurs et je l'ai toujours fait savoir à mes clients, à mes partenaires professionnels, à mes lecteurs sur les réseaux sociaux, aux politiciens...

J'avais d'ailleurs dédié un poème à la femme marocaine qui avait été transférée sur plusieurs pages et groupes sur les réseaux sociaux.

Je me permets de le partager avec vous :

« Femme de mon pays, tu mérites tout le respect.
Que de fardeaux tu soulèves sans protester.

Femme de mon pays tu mérites un piédestal,
Pour les lourdes responsabilités sociétales.

Femme de mon pays que de péripéties tu subis,
Armée uniquement de courage et de persévérance comme habits.

Femme de mon pays, tant de droit tu ignores,
Pour ta survie et ton épanouissement, consulte-les d'abord.

Femme de mon pays, tu mérites les plus grandes distinctions,
Présente sur tous les fronts suscitant l'admiration.

Femme de mon pays, tu es l'espoir de demain.
Vers la réussite méritée oriente ton chemin.

Femme de mon pays, nourris ta progéniture d'espoir,
Grâce à une solide éducation, tu traceras sa trajectoire.

Femme de mon pays garde fièrement la tête haute.
De tes exploits, les hommes sursautent.

Femme de mon pays brille et donne l'exemple.
Dans la société, ta contribution est constructive et ample.

Femme de mon pays sois reconnaissante.
Et à la volonté divine, sois obéissante.
Elle t'a dotée d'une puissance surprenante.
Et t'a promue à une dimension réjouissante.

Femme de mon pays, tes efforts seront récompensés.
Par ta plus-value, la croissance sera relancée.
Par ton intelligence, les esprits seront influencés.
Par ta sagesse, les décisions seront jurisprudences.

Femme de mon pays, par ta patience, tes plaies seront pansées.
Par tes revendications, tes droits seront octroyés.

Femme de mon pays, crois en tes potentialités.
Oublie l'égalité,
Revendique la complémentarité,

Bouscule les mentalités,
Aspire à la légalité,
Préserve ta féminité,
Sois fière de ta nationalité,
Forge ta personnalité,
Combats la criminalité,
Réduis la natalité,
Construis avec efficacité,
Bannis la brutalité,
Répands la sentimentalité.

Femme de mon Pays
Le Maroc brillera par ton émancipation.
Les hommes regretteront ton humiliation,
Brandissant le drapeau blanc de la réconciliation,
Acceptant fièrement la co-construction,
D'un Maroc nouveau en pleine expansion. »

Mon altruisme ne concernait pas uniquement les femmes, mais se répandait à toute l'humanité et aux causes qui me touchaient intérieurement.

J'ai donc intégré en l'an 2000 une association Internationale de services communautaires qui a des ramifications dans le monde entier. Elle est très intéressante et enrichissante. Elle apporte de l'aide aux malades, aux nécessiteux, participe par des actions ciblées à améliorer le niveau de l'éducation des peuples par des programmes spécifiques, participe à des projets environnementaux... etc.

Ce qui me plaisait dans cette association c'est son organisation et les différents domaines dans lesquels elle intervient.

L'étranger avait beaucoup à nous apprendre en matière de bénévolat et j'en étais demanderesse.

La seconde association que j'ai intégrée est l'association des femmes chefs d'entreprises du Maroc qui avait aussi des projets intéressants pour développer l'entrepreneuriat féminin au Maroc et faire de la femme marocaine une entité incontournable dans la prise décisionnelle dans tous les domaines économiques, politiques, sociaux, culturels…

La troisième est une association qui lutte contre l'avortement clandestin au Maroc et essaie de convaincre le législateur de légaliser l'avortement dans des cas précis tels que l'inceste, les viols, les malformations fœtales… etc.

J'ai dû quitter cette dernière association en 2012 vu le manque de temps et la multiplication de mes diverses responsabilités.

Chaque association avait de l'intérêt pour moi et je lui consacrais du temps libre pour y apporter ma contribution.

Parmi les trois associations, j'ai dû accorder plus de temps à la première.

De présidente de mon club durant trois années consécutives, j'étais choisie pour remplir le rôle de présidente de zone durant deux années consécutives puis présidente de région. J'ai été enfin élue pour accéder au poste de gouverneure représentant cette association internationale sur tout le territoire marocain. Mon gouvernorat a été honoré durant l'année 2015-2016.

Cette association m'a énormément aidée à grandir et à m'épanouir.
J'y ai rencontré des personnes extraordinaires qui m'ont tendu leur main et offert une amitié inconditionnelle.
Nous formions une famille soudée que nous avions appelée : les amis du cœur.

Nous avons pu réaliser de magnifiques actions caritatives : des caravanes médicales, des opérations de cataracte, des dépistages de diabète, des opérations chirurgicales diverses, des centaines de circoncisions, des distributions de paniers de ramadan, des distributions de cartables, l'agencement de plusieurs cabinets médicaux, des cours d'alphabétisation...

Cependant, comme dans tous les groupements sociaux, il y avait de bons éléments et des éléments perturbateurs. Il y avait des conflits d'intérêts.

La notion de leadership créait de l'animosité et du clanisme entre les membres. Chacun voulait, par tous les moyens, dicter sa conduite et mener les équipes vers les objectifs de son camp.

Cette guerre froide me perturbait intérieurement.

Moi qui suis conciliante, empathique, généreuse et altruiste, je ne pouvais pas faire plaisir à tous les membres.

J'avais dû choisir mon camp. Le camp des gagnants, des visionnaires, des altruistes qui pensaient à l'intérêt collectif plutôt qu'à diriger.

J'avais donc choisi de batailler contre les manipulateurs et les opportunistes.

Je ne faisais usage ni de violence verbale ni de prises de position dommageables pour notre association.

Bien au contraire, je restais dans le respect de tous et le respect des objectifs dictés par les statuts internationaux de notre association.

Mes conseillers étaient des personnes fantastiques, intellectuelles et dotées d'une grande maturité et du sens des responsabilités.

Je suivais mon instinct et également leurs conseils lorsqu'ils correspondaient à mes principes et valeurs.

Dans cette association constituée de toutes les catégories socioprofessionnelles, de tous les âges, de toutes les appartenances régionales... je souffrais d'un grand problème, en l'occurrence, la méchanceté gratuite d'un certain nombre de personnes.

Les jugements de valeur étaient leur pain quotidien.

Les propos diffamatoires étaient une monnaie courante.

Le mal circulait ici sous toutes ses variantes.

J'avais beau essayer de me rapprocher davantage des personnes intellectuelles, agréables et enrichissantes, mais les personnes nuisibles arrivaient à m'atteindre de loin et à me mettre des bâtons dans les roues dans mon mode de gouvernance.

Tout ce que je disais ou je faisais pouvait être mal interprété et pouvait donner suite à des polémiques.

Nous étions écartés sournoisement de nos objectifs primordiaux : faire du bien, aider notre prochain, développer les aides dans le milieu médical...

L'ego l'emportait à l'altruisme.

Les valeurs et les principes étaient noyés dans ces guerres froides et stupides qui n'avaient pas lieu d'exister.

Après avoir terminé avec beaucoup de courage et de persévérance mon mandat de gouverneure, je me suis éclipsée en douceur et j'ai levé le pied.

Mes amis rapprochés essayaient de me convaincre de retourner avec eux pour continuer mon combat de bénévole. Mais sincèrement, je continue toujours d'apporter ma valeur ajoutée à ma communauté, mais d'une manière moins médiatisée et plus ciblée.

J'avais besoin de faire un break et de prendre du recul pour mieux rebondir un jour en tirant des leçons de ma précédente expérience.

Certes, me retrouver dans un climat d'amitié et de partage avec certains membres de cette association me manque beaucoup. Mais, lorsqu'on a choisi la voie de la spiritualité, on choisit de vivre loin des ondes négatives perturbatrices.

Je prône pour l'amour et la paix dans le monde et je ne souhaite pas donner l'occasion à des personnes maléfiques de cultiver autour de moi des sentiments négatifs.

L'univers a besoin de personnes altruistes qui protègent la terre, les humains et les animaux de forces destructrices.

Œuvrons donc seuls ou en groupe dans ce sens et ne nous attachons pas aux futilités.

En ce qui concerne l'association des femmes chefs d'entreprises, j'avais levé les pieds en 2010-2011 lorsque je fus nommée présidente régionale compte tenu des conflits d'intérêts qui séparaient les femmes et compte tenu de la flamboyante course vers le leadership.

En 2018, une amie m'avait appelée pour la soutenir dans son bureau en ma qualité de vice-présidente nationale.
J'avais accepté et réglé ma cotisation annuelle pour faire face à mes nouvelles responsabilités. La condition de la femme chef d'entreprise au Maroc m'interpellait toujours et disposant de plus de temps libre, je pouvais apporter ma contribution dans ce nouveau bureau élu.

Cependant, mon amie a été victime d'un Putsch qui a visé de la destituer de ses fonctions.
Là aussi, nous avions assisté à un leadership divisé par le clanisme et les conflits d'intérêts.

Les femmes resteront toujours les ennemies des femmes.
Nous ne pouvons pas changer la nature humaine.
Voyant que le conflit allait arriver à la justice, j'avais levé le pied.

En faisant du social, on recherche la satisfaction d'apporter sa contribution au développement de son pays en aidant les couches les plus défavorisées de la société et non à se créer des prises de tête avec les membres.

Il faudrait faire preuve d'une grande maturité, d'une belle conscience, d'un grand sens des responsabilités, de respect, de la bienveillance, d'intelligence émotionnelle et d'une intelligence collective pour pouvoir gérer des associations et asseoir son leadership.

Mais apparemment, mes amis dans le cadre de ces deux associations ont occulté ces points importants et ont été aveuglés par leur ego et par le besoin de gouverner.

Que Dieu aide ses serviteurs à faire du bien autour d'eux sans qu'ils ne se déchirent.

Chapitre 13
Ma bataille contre mon pire ami-ennemi

Aujourd'hui, je souhaiterais vous parler de ma bataille contre mon pire ami et ennemi à la fois.

Francis Ford Coppola le réalisateur du film Le Parrain avait dit : « Sois proche de tes amis et encore plus proche de tes ennemis ».

Sauf que dans mon cas, j'étais tellement proche de cet ami-ennemi, que j'avais créé avec lui une histoire fusionnelle, voire passionnelle, et ce depuis des décennies.

Elle est devenue toxique avec le temps.

Hélas, cette dépendance affective quasi pathologique m'a toujours freiné à rompre la première cette relation amoureuse.

Mon amoureux, mon tendre ami, mon grand confident, mon bouc émissaire, mon refuge a toujours été présent dans ma vie avec une grande bienveillance, un excellent réconfortant et une immense et énergisante affection.

Comment le quitter après cette longue et passionnante vie intime que nous avons vécue ensemble ?

Cependant, ces derniers temps, il était devenu tellement présent partout qu'il commençait à m'asphyxier.

Il se cachait partout. Il me jouait des tours.

Il se dissimulait même là où je ne pouvais jamais douter de sa présence.

Il me causait de plus en plus des problèmes physiques, organiques et même psychologiques.

Aussi dommageable que la cocaïne, j'en devenais addicte.

En son absence, je me sentais en état de manque intense.
Je tremblais, j'avais des sueurs froides, des envies folles…

Cette addiction semblait être morbide.

Grâce à une volonté divine, à un gigantesque courage et une forte persévérance, j'avais enfin pris la ferme décision de le quitter définitivement et en toute conscience.

C'était une bataille acharnée, mais ma foi, constructive.

Cette décision était fortement motivée par sa présence dans la vie de plusieurs de mes amies.
Il les séduisait toutes. Il les appâtait à mon insu.
Il ne se contentait pas de mes amies femmes, mais son besoin de séduction s'étalait même aux hommes !
C'était un grand signe de perversion et de traîtresse.

C'est une décision douloureuse qui me déchirait les entrailles, qui m'angoissait, qui me causait des insomnies, qui me perturbait émotionnellement et qui m'affaiblissait.

Hélas, c'était une décision ferme incontournable et irrévocable pour mon équilibre physique et psychologique.

J'espérais donc que mon entourage familial et amical n'essaierait pas de nous réconcilier tous les deux ni de nous inciter à reprendre cette relation passionnelle.

Les diverses occasions de tentation étaient multiples je pensais y arriver en faisant preuve d'une grande patience et volonté.

Mais je priais mes amis et membres de ma famille de respecter cette période de deuil, de me laisser surmonter mon chagrin et lutter contre cette addiction.

Au fait, pour ceux et celles qui ignorent le nom de cet ami-ennemi, il s'agit du sucre.

Cette métaphore définissant mon rapport à tous les plats sucrés était une introduction pour vous parler de ma grande bataille contre le surpoids.

En hiver, nous avons besoin d'énergie pour nous réchauffer, donc nous sommes attirés par les plats riches en hydrates de carbone.

Le Ramadan est un mois durant lequel nous consommons des gâteaux au miel. L'été est une saison durant laquelle nous consommons sans modération le sucre caché dans les fruits juteux et les crèmes glacées.

Dans ma famille, nous avons pris l'habitude de nous réunir pour fêter tous les anniversaires. Donc, nous consommons des gâteaux à la crème au moins une fois par mois.

Il n'y a pas de meilleure période pour stopper ce massacre.

Il est temps de stopper cette relation toxique et de passer à l'action.

J'avoue que j'ai essayé à plusieurs reprises, mais mon cerveau me dictait de me diriger tel un robot vers un délicieux plat, ou un savoureux gâteau ou un fruit juteux et sucré.

Le plus sournois est que mon cerveau est sélectif et précis. Parfois je ressens le besoin de manger des macarons de chez Paul, parfois une glace au parfum « Pamplemousse-Basilic » de chez Amorino, parfois un bon gâteau au chocolat chez le Nôtre... Heureusement que mon cerveau se limite à rester dans le secteur et à ne pas m'exiger des saveurs étrangères.

Imaginez s'il choisissait des gâteaux de chez Pierre Hermé de Paris et non celui de La Mamounia, je paierais cher ma gourmandise.

Ma sœur Wafaa et ma cousine Nabilla savent à quel point cette addiction est morbide chez moi.

Déjà, à l'âge de quinze ans, voulant à tout prix ressembler à ces mannequins filiformes, j'observais des périodes de restriction draconienne en sucre.

Lorsque je me sentais en manque, j'invitais ma sœur et ma cousine à la plus proche pâtisserie pour y choisir le gâteau le plus majestueux et riche en sucre : la religieuse.

Avec ses deux étages de pâte à choux remplis de crème pâtissière, de crème au beurre et de glaçage, je satisfaisais aisément ma gourmandise.

Nous allions ensuite au glacier Oliveri et là je me régalais en m'offrant la glace « Fraise Melba ». Il s'agissait d'un verre immense rempli de crème glacée avec une grande quantité de fraises fraîches et une tonne de crème chantilly. Hum... Quel bonheur et quel régal !

Cette glace me remémore un vieux souvenir que j'aimerai partager avec vous.

Lorsque j'étais fiancée avec le papa de mes enfants, il m'avait invitée pour la première fois à prendre un pot. Nous étions partis à Oliveri, ce mythique glacier sis sur l'avenue Hassan II.

Cependant, en jeune fille bien éduquée, j'avais des scrupules à choisir une glace onéreuse. J'avais commandé un café noir. Ma bouche se remplissait de salive à chaque passage des serveurs de ce glacier avec ma glace préférée.

Mon fiancé pensait que je salivais pour lui. Le pauvre s'il savait que la glace « Fraise Melba » me remplissait de bonheur lorsque je la savourais beaucoup plus que le meilleur des hommes sur terre !

C'est tellement bon de se faire plaisir et de satisfaire ses papilles gustatives.

Le sucre est l'une des drogues les plus puissantes au monde.

Lorsque nous en consommons, nous produisons de la sérotonine, une hormone relaxante. C'est pour cette raison que j'en étais totalement addict et je sombrais dans la déprime lorsque je n'en consommais plus.

C'était mon Prozac. Mon élixir de jouvence.

Mais arrivée au point actuel de mon embonpoint pour ne pas avouer que mon indice de masse corporelle m'indique que je tends vers l'obésité, je me dois de me priver de ces bonnes choses pour sauvegarder ma santé.

Bonjour la bataille au sucre !

J'espère qu'au Paradis, je ne serais pas privée de toutes ces douceurs.

Priez aussi pour moi s'il vous plaît !

Chapitre 14
La bataille contre les kilos

Depuis ma tendre enfance, j'ai toujours été bien enrobée.

Je mangeais bien chez moi et Mina, notre adorable sœur adoptive qui nous accompagnait à l'école El Farabi ma sœur Wafaa et moi, nous achetait sur la route, d'une pâtisserie, des croissants au beurre que le pâtissier nous remplissait de crème pâtissière. Quel régal !

De plus, à la veille de chaque interrogation écrite, nous avions droit à une tablette de chocolat. La croyance populaire reliait toujours le chocolat à l'intelligence et ça faisait notre bonheur.

Par ailleurs, chez nous et comme dans toutes les familles marocaines, il y avait toujours des gâteaux marocains faits maison par ma mère et Mina que nous savourions avec plaisir au goûter.

Mon péché mignon était ce fameux et grand macaron à la noix de coco que les marchands ambulants vendent sur un plateau rond sur toutes les grandes artères de Casablanca.

Donc, comme je vous l'avais annoncé lors du chapitre précédent, j'ai toujours eu un faible pour tous les plats sucrés, gâteaux, chocolats…

Ma bataille contre les kilos a ainsi commencé à la puberté d'autant plus que lorsque notre oncle paternel Redad venait nous rendre visite lors de ses vacances au Maroc, puisqu'il vivait en Inde, il me répétait toujours aussi crûment, que je ressemblais à une catcheuse.

Je le détestais pour cette remarque !

Et avec le temps, je me pose toujours la question, pourquoi certaines personnes ne font-elles pas attention aux mots qu'elles utilisent ? Et pourquoi sont-elles obligées d'être aussi blessantes et indélicates ?

Non seulement il avait des oreilles aussi étendues que des paraboles, mais il venait s'imposer chez nous plusieurs jours avec sa femme sans avoir la délicatesse de nous offrir le moindre cadeau et il se permettait de me critiquer.

Ainsi, lorsqu'il repartait chez lui, non seulement j'étais heureuse d'être débarrassée de lui, mais j'étais en rage et motivée pour entreprendre un régime amincissant draconien.

Heureusement que mes parents m'avaient bien éduquée pour ne pas riposter et le confronter par rapport à ses grandes tares.

Je peux vous assurer que depuis l'âge de 12 ans, j'ai fait le tour de tous les régimes amincissants et de toutes les techniques pour mincir.

J'avais commencé par un régime hypocalorique à 800 calories par jour. J'avais perdu du poids que j'avais récupéré le mois suivant.

À l'âge de douze ans, je gagnais de l'argent en donnant des cours supplémentaires à mes petites cousines et à un cousin.
Cet argent me permettait de payer mon abonnement dans deux salles de sport. L'une ouvrait tous les lundis, mercredis et vendredis et l'autre les mardis, les jeudis et samedis.

Je sortais de mes cours au collège et j'y allais à pied pour faire les cours d'aérobic de 12 h 30 à 13 h 30. Je revenais en courant au collège pour les cours de l'après-midi à 14 h en mangeant uniquement une pomme verte le midi.

Ce marathon avait duré jusqu'à l'année du baccalauréat.

Certes, j'étais pulpeuse, mais bien musclée tellement je pratiquais du sport.

À seize ans, mon père m'avait emmenée chez une endocrinologue-diététicienne.

Cette femme était réellement odieuse dans ses propos moralisateurs. Elle m'avait sermonnée devant mon père que je resterais une vieille fille et je ne me marierais jamais si je ne perdais pas de poids. Comme si le mariage était un exploit !

Quelle délicatesse et quelle mentalité tordue de relier tous nos projets de vie à l'institution du mariage.

Elle m'avait prescrit une ordonnance avec un coupe-faim et un médicament brûleur de graisse du nom de Triacana qui n'existe plus sur le marché tellement il avait causé des dégâts cardiaques chez les patients. Avec son régime draconien qu'elle m'avait imposé, j'avais perdu en un mois une dizaine de kilos, mais j'avais tellement déprimé que je pleurais sans cesse. Je les ai récupérés le mois suivant.

Le comble de l'histoire est qu'avec mes kilos j'avais réussi à plaire à plusieurs hommes dans ma vie, à me marier deux fois et à enfanter trois beaux enfants. Mais en prenant des nouvelles de cette diététicienne, j'avais appris qu'elle ne s'était jamais mariée et qu'elle n'avait jamais eu le bonheur d'avoir des enfants. Il n'y a pas de règles figées qui définissent nos destins et tracent nos destinées.

À la sortie du Xénical, je me suis empressée de l'acheter et de le consommer. Il agit en bloquant l'action des lipases (enzymes qui découpent les lipides, c'est-à-dire les graisses).

J'avais des diarrhées très contraignantes, j'ai donc dû arrêter le traitement.

Ma tante Donna qui avait suivi le régime Atkins et avait perdu une cinquantaine de kilos, m'avait offert son livre pour suivre ce régime, mais je le trouvais très riche en gras.

Cette méthode repose sur une consommation élevée de graisses, des apports moyens en protéines et très peu d'hydrates de carbone. Elle s'apparente sur bien des points au régime cétogène.

À quinze ans, j'avais acheté le livre de Demis Roussos qui présentait un régime dissocié. Il ressemblait tellement au régime Atkins que je ne l'avais pas apprécié. Je ne voulais pas me priver des fruits.

J'avais acheté un autre livre : Maigrir par l'autohypnose. J'avais commencé ces séances d'autosuggestions. Puis j'ai fini par m'en lasser, surtout que mon entourage se moquait de moi, car je devais m'allonger sur un sofa et répéter des mantras pour reprogrammer mon cerveau.

J'ai toujours eu une gourde remplie avec des potions magiques :

- Eau, citron pressé et gingembre
- Eau, citron, concombre et menthe
- Eau, romarin et citron
- Café et cannelle
- Eau, vinaigre de cidre et citron
- Eau, persil et concombre...

J'avais aussi essayé le régime Montignac, le régime Beverly Hills, le régime Dukan, le régime Keto, le régime de Kim Kardashian, le régime de Lady Gaga, le régime Sirt Food qui avait permis à la chanteuse Adèle de perdre plus de 30 kilos…

J'étais déçue par certains régimes qui ne m'ont pas permis de perdre un seul gramme.

Donc ma vie était une série de phases oscillatoires : Phases de régimes, phases de lâcher-prise et de petits plaisirs gustatifs… etc.

Pour mon anniversaire de quarante ans, je me suis offert une lipostructure du corps. Bien que l'opération fût extrêmement douloureuse, j'ai pu perdre du poids et porter de jolis pantalons serrés de taille 38.

Cependant avec les tsunamis émotionnels par lesquels j'étais passée, j'avais vite repris mes kilos et mes rondeurs.

Je pense avoir perdu dans ma vie quelque cent vingt kilos et j'en ai gagné cent cinquante. Si vous êtes bons en calcul mental, vous en déduirez que j'ai aujourd'hui une trentaine de kilos à perdre pour atteindre mon poids normal selon l'indice de masse corporelle.

En parallèle avec ces régimes, j'avais toujours pratiqué du sport, fait des massages amincissants, des techniques d'amincissement… etc.

Chaque discipline a ses avantages et ses inconvénients.

Chaque technique d'amincissement peut donner des résultats avec le temps, mais dès que l'on s'arrête de faire attention à ce qu'on consomme, les kilos reviennent et les cellules adipeuses apparaissent.

J'ai toujours trouvé que ces régimes étaient mauvais pour l'équilibre psychique et physique puisqu'ils peuvent provoquer des carences en vitamines et oligo-éléments. D'autant plus que si le régime dure longtemps, il provoque des frustrations et par conséquent des écarts alimentaires.

Il faut certes avoir une alimentation saine et équilibrée et essayer de se dépenser pour brûler les calories absorbées.

Ma mère, que Dieu ait son âme en sa sainte miséricorde, me disait toujours : tu ne vas pas devenir mannequin, mange ce que tu veux avec modération.

Le plus pénible dans cette bataille contre les kilos, c'est le regard des gens et leurs critiques indélicates et blessantes :

- Tu as beaucoup grossi, tu dois te mettre au régime.
- Je ne comprends pas comment tu as fait pour prendre autant de poids.
- Tu étais plus jolie plus mince.
- Tu dois te remettre au sport pour perdre ta graisse.
- Dans ton cas, tu dois jeûner toute l'année et non seulement durant le Ramadan.
- Tu dois réfléchir à te faire une sleeve gastrectomie.
- Tu dois recourir à la chirurgie esthétique.

Etc.

Toutes ces personnes grossophobes ne comprennent rien à l'obésité et au surpoids.

Si elles pouvaient comprendre qu'il y a des personnes qui mangent leurs émotions et d'autres qui compensent la perte d'énergie par des kilos émotionnels, le monde se porterait beaucoup mieux.

Si au moins, elles se taisaient et gardaient leurs remarques et suggestions pour elles, leur rencontre ne serait pas autant dommageable.

Avoir des kilos en trop n'est pas signe de paresse, ou de manque de volonté, ou de manque de motivation ou de manque de discipline ou d'un grand déséquilibre alimentaire.

Être gros ou grosse c'est avoir une hérédité qui favorise le surpoids, c'est avoir un déséquilibre hormonal. C'est d'avoir un déséquilibre métabolique, c'est être sédentaire par obligation professionnelle ou autre, c'est avoir des problèmes psychologiques, c'est aussi prendre des médicaments qui favorisent la rétention d'eau et l'embonpoint, c'est manger ses émotions, c'est perdre son énergie suite à une déception amoureuse ou un divorce ou un deuil…

La stigmatisation des personnes en surpoids est destructrice.

Elle est devenue présente partout au travail, à l'école, dans la rue, dans les lieux publics…

Elle est devenue omniprésente.

Ces personnes grossophobes devraient arrêter de blâmer, de taquiner, de brimer, de maltraiter et de discriminer les personnes en surpoids.

En tant qu'une personne qui a souffert toute ma vie de mon surpoids, je refuse que les gens continuent de me faire des remarques et de me donner des conseils.

Depuis quelque temps, j'ai commencé à m'intéresser aux recommandations relatives au poids par plusieurs courants spirituels.

Selon les hindouistes, pour ne pas prendre du poids, il faut faire un seul repas par jour, jeûner et offrir de la nourriture aux pauvres et aux nécessiteux.

Il y a même des invocations des anges et archanges pour favoriser la perte de poids. Des prières canalisées par des youtubeurs sont très recommandées pour demander à l'Archange Raphaël de nous aider à perdre nos kilos en plus.

Dans le Coran, un verset stipule que nous pouvons manger et boire ce que nous désirons, mais avec modération.

Selon un hadith, le prophète Mohammed SAS avait conseillé à un musulman d'observer le jeûne du prophète David c.-à-d. manger un

Tous les jours, je me regarde sur le miroir de ma chambre et je me répète que je m'aime et que je suis fière de moi.

Je prends soin de ma personne avec un amour inconditionnel et une grande bienveillance.

C'est le plus important. Et comme le précise l'émission qu'animait Tierry Ardisson : On ne peut pas plaire à tout le monde.

Ainsi si je ne plais pas aux autres, la terre continuera, tout de même, de tourner et je continuerai de m'aimer.

Chapitre 15
Ma bataille sur les réseaux sociaux

Nous étions tranquilles avant, sans les réseaux sociaux. De nos jours, nous sommes submergés par un flot d'informations, par des fake news, par des messages agressifs...

Depuis que j'ai créé mes comptes sur les réseaux sociaux : Facebook, Instagram, Twitter, LinkedIn... je m'y connecte pour plusieurs raisons :

1- Ça me permet de rester connectée avec mes enfants. Donc je n'ai pas besoin de les harceler au téléphone. Leurs stories m'apportent assez d'informations sur eux, sur leur état de santé, sur leurs activités, sur leurs fréquentations...

2- Ça me permet de rester connectée avec les membres de ma grande famille : cousins, cousines, nièces et neveux...

3- Ça me permet de rester connectée avec mes amis dans le monde entier. Comme je vous le savez déjà, je fais partie d'une association internationale et j'ai des amis dans le monde entier. Ça me permet de partager les photos des événements organisés au Maroc.

4- Ça me permet de rester connectée avec mes clients en formation, en coaching et en consulting. J'utilise aussi mes murs pour informer mes clients et les fans de mes pages professionnelles des événements que j'anime.

5- Ça me permet d'être informée des dernières nouvelles politiques, économiques, socioculturelles...

6- Ça me permet de faire connaissance avec des personnes magnifiques, de partager avec elles et de savourer des moments intenses émotionnellement. Les partages sont diversifiés sous forme d'articles, de poèmes, de pensées, de photos, de ressentis...

7- Ça m'ouvre à des échanges d'expertises avec des personnes du même domaine professionnel que moi.

8- Ça me permet de mieux admettre qu'il faut du tout pour faire un monde. Il y a des personnes sages, des philosophes, des artistes, des chercheurs, des scientifiques, des littéraires, mais également des sociopathes, des pervers, des escrocs, etc.

Et c'est ce dernier point qui va constituer le contenu de ce chapitre.

Depuis 2008 que je suis sur les réseaux sociaux, j'avoue avoir été approchée par des profils assez impressionnants. Certains sont d'une grande notoriété, et ce dans divers domaines. Et d'autres sont experts en mensonges, en manipulation et en escroquerie.

J'avoue en toute humilité avoir été arnaquée par certaines personnes.

Je n'en ai jamais parlé à personne.

Mes enfants auraient trouvé d'ailleurs un sujet intéressant pour me taquiner s'ils avaient été mis au courant.

Certaines personnes, hommes et femmes, s'étaient présentées sous de faux profils et ont essayé de me manipuler...

Heureusement qu'avec le temps, l'expérience et mes formations ou déformations professionnelles, j'ai commencé à les renifler de loin et à les bloquer.

La pire arnaque que j'ai subie est de l'ordre de trente mille dirhams.

C'était en 2010. J'étais fraîchement nouvelle sur Facebook et je ne maîtrisais pas encore les outils.

Je voulais m'ouvrir au monde et faire connaissance avec des hommes et des femmes du monde entier pour échanger nos idées et nos expériences.

Au fait, cela m'a permis de faire la connaissance de personnes magnifiques et intéressantes au Liban, au Canada, en France, en Italie, en Égypte, en Tunisie, aux USA...

Mes premiers amis sur ce réseau étaient des amis de mon association Internationale, de ma famille, de mes diverses autres associations…

J'avais reçu un jour une invitation d'un profil affichant la photo d'une très belle femme marocaine habitant à Rabat.

D'après cette photo et les autres photos des divers albums publiés sur son compte, je pouvais en déduire que son âge était d'une trentaine d'années, qu'elle était sportive, qu'elle était moderne, qu'elle avait plusieurs activités professionnelles et associatives.

Ce profil m'intéressait pour lui proposer d'intégrer mon association internationale étant donné que le recrutement était un moyen d'augmenter les effectifs pour multiplier les actions bénévoles.

J'étais en pleine période de divorce avec mon second conjoint.

Cette femme paraissait gentille et polie. Nous avions échangé plusieurs fois des fragments de nos vies personnelles.

Et, comme sur mon profil j'affichais mon métier de coach, les gens s'ouvraient plus facilement et me racontaient leurs problèmes.

Elle prétendait être la fille d'un grand général de Rabat.

Chaque jour, je retrouvais dans ma messagerie un texte me parlant d'elle.

Selon ses propos, elle était victime de l'arnaque de son mari. Et grâce à un certain Hadj Hassan, elle avait pu se débarrasser de tous les maléfices qui lui ont été faits pour la berner et lui voler son argent.

Dans un échange amical, je lui avais annoncé que j'étais en instance de divorce et que je dormais mal et j'avais des crises d'angoisses la nuit.

Elle m'avait avoué qu'elle souffrait des mêmes symptômes et que ce sont les signes d'un envoûtement.

Ça m'avait inquiétée d'autant plus que j'avais retrouvé des gris-gris et des œufs cassés devant mon magasin et un liquide noir avait été déversé sur le miroir de mon ascenseur.

Elle m'avait alors remis le numéro de téléphone de ce Hadj Hassan, pour qu'il vérifie si j'avais été victime de maléfices.

Dans mon bureau de Tanger, je m'enfermais pendant des heures pour travailler et je redoutais de rentrer chez moi.

J'ai donc pris la décision d'appeler l'Hadj Hassan qui avec mon prénom et le prénom de ma mère m'avait fait une consultation de numérologie.

Ce monsieur parlait parfaitement le français et était d'une grande intelligence. Il connaissait la plupart des personnes connues au Maroc.

Le verdict était tombé. Il s'agissait bien de la magie noire selon ses propos et il fallait que je m'en débarrasse le plus tôt possible sinon ça allait affecter toute ma famille.

Ma hantise était que mes enfants en soient affectés.

J'avais rencontré l'Hadj Hassan dans un café de l'hypermarché Aswak Assalam à Rabat. À ma grande surprise, il n'était pas âgé. Il devait avoir la quarantaine.

Il portait un costume, une belle chemise et une cravate.

En lui offrant un café, je voulais tester d'abord ses pouvoirs avant de lui avancer de l'argent que j'avais sorti du guichet automatique et mis soigneusement dans mon sac.

Sûr de ses capacités, il m'avait demandé d'écrire cinq questions en plusieurs langues étrangères et de dessiner des dessins sur cinq petits bouts de papier. Il m'avait demandé de plier les papiers et de les ranger dans mon sac. En temps il était parti allumer une cigarette.

J'ai profité de son absence pour écrire mes questions, plier les feuilles de papier et les ranger minutieusement dans une pochette de mon grand sac à main.

Ma première question était en français et concernait mon travail.

La deuxième question était en espagnol et concernait mes enfants.

La troisième question était en arabe et concernait mon divorce qui était en instance.

La quatrième concernait ma situation financière et était en anglais.

Sur la cinquième feuille de papier, j'avais dessiné un objet avec des tas de lettres autour qui correspondaient aux initiales de mes trois enfants.

Après avoir allumé sa cigarette, il était revenu s'asseoir en face de moi.

Il a répondu à toutes les questions que j'avais émises en différentes langues en me précisant d'abord la question, la langue avec laquelle la question était émise puis me répondait en fonction de sa voyance.

Pour le cinquième papier, il avait deviné que c'était un dessin avec des lettres et il me les a données une par une.

J'étais très impressionnée par ses capacités.

Était-il voyant ? ou mentaliste ? ou un Djinn ?

Il a enchaîné que j'étais victime d'un très fort envoutement pour me séparer de mon mari et que la personne qui a effectué cette magie noire a l'intention de me rendre folle. Il m'a parlé des objets trouvés devant mon magasin et du liquide noir qui tachaient d'une manière apparente le miroir de mon ascenseur.

Ses propos m'avaient fait peur. Je ne voulais pas perdre la raison d'autant plus que j'ai besoin de toutes mes capacités mentales pour remplir mes responsabilités familiales et professionnelles.

Il m'avait demandé la somme de trente mille dirhams pour annuler tous les maléfices qui m'avaient été faits.

Il m'avait donné l'opportunité d'effectuer plusieurs versements au fur et à mesure que mon état s'améliorait.

Je lui avais donc remis un acompte de 5000 dirhams.

Un premier dépôt via Wafacash a été fait dès mon retour à Tanger.

Ensuite un deuxième dépôt et ainsi de suite jusqu'à arriver à la somme globale de trente mille dirhams.

Ce soi-disant Hadj Hassan était connu à Rabat.

C'était un très fort mentaliste qui était invité dans plusieurs familles pour leur faire des tours de magie lors de leurs soirées mondaines.

Il était également un animateur d'événements pour enfants.

C'était aussi un ventriloque et un animateur de fêtes.

Il se baladait avec une carte blanche qui lui donnait l'accès à tous les clubs, restaurants, hôtels gratuitement…

C'était aussi un ventriloque et un animateur de fêtes.

Au fil des jours, je ne voyais aucune amélioration dans mon état.

Je ne dormais que deux ou trois heures par nuit et j'avais toujours mes crises de panique vers 3 h du matin.

Voulant me plaindre chez mon amie virtuelle qui m'avait communiqué ses coordonnées, j'avais découvert que cette jeune femme était un faux profile et que c'était lui qui utilisait ce compte Facebook pour arnaquer les gens.

En découvrant cette arnaque, je voulais le dénoncer, mais il a commencé à me menacer de me pourrir la vie avec la magie noire.

Je le sentais dangereux. Il prétendait collaborer avec les autorités pour des enquêtes judiciaires.

J'avais compris que j'avais été victime d'une arnaque.

Je pensais que cette histoire était terminée une fois pour toutes.

Hélas non, il a commencé à me téléphoner tardivement la nuit. Il se saoulait et avait besoin de se confier à moi et de me raconter ses histoires de cœur avec son amie.

Il avait envoyé des invitations à tous les membres de ma famille et mes amis.

Bien que je n'avais rien à me reprocher, mais connaissant ses capacités ésotériques, je redoutais qu'il me fasse d'autres maléfices.

J'avais contacté Si Ali, un chérif avec une grande baraka, qui m'avait certifié que ce monsieur était très dangereux, car il fait appel aux démons pour l'aider à atteindre ses objectifs.

Si Ali m'avait lu le coran sur ma tête et sur la tête de mes enfants. Il m'avait donné de l'eau de la Roqia à boire (l'eau informée par le Coran).

Il m'avait formellement interdit de rester en contact avec lui.

Je l'ai donc bloqué sur les réseaux sociaux et sur mes téléphones.

Il a essayé de me recontacter avec de faux profils créés. Je le reniflais toujours et je le bloquais.

Depuis, je n'ai plus entendu parler de lui et je ne l'ai plus croisé ni à Casablanca, ni à Rabat, ni à Tanger.

Ce ne fut pas la seule arnaque dont je fus malheureusement victime.

J'avais rencontré un Italien qui prétendait être l'adjoint du maire de la ville de Naples.

Gaetano avait été marié à une Marocaine et avait eu avec elle deux filles. Il adorait le Maroc et y venait régulièrement. En vérifiant ses photos sur Facebook, j'avais la preuve de sa fonction à la mairie et j'avais eu une idée sur sa famille et ses différents voyages dans le monde.

Lorsqu'il était venu avec ses filles à Casablanca, je l'avais invité dans un excellent restaurant le Rick's Café, un bijou qui allie la haute gastronomie française à la magnifique architecture marocaine, situé derrière les remparts de l'ancienne médina en face du port de Casablanca.

Il était ravi de cette invitation et s'était régalé.

J'avais reçu le lendemain des amis dans mon appartement à Casablanca et je l'avais invité à se joindre à nous. Gentleman comme il voulait en donner l'impression, il avait ramené une bouteille de Champagne.

Tout laissait apparaître que c'était réellement un monsieur respectable.

Il était habillé de la tête aux pieds avec des articles de grandes marques. Il parlait plusieurs langues étrangères. Il fut d'une grande culture générale, chose qui avait impressionné mes invités.

Au bout de quelques jours, il allait partir. Il m'avait demandé si je pouvais lui prêter la somme de quinze mille dirhams, car il n'avait pas prévu de rester autant de temps à Casablanca et qu'il était à court d'argent.

J'avais hésité à le faire, mais je me suis dit qu'il n'allait pas m'arnaquer.

Je comptais faire d'ailleurs un voyage à Naples quelques mois plus tard, donc il pouvait me rembourser en euros.

J'étais enfin partie à Naples pour un voyage avec mon compagnon qui avait un congrès de médecine là-bas. J'avais téléphoné à Gaetano pour lui dire que j'étais arrivée dans sa ville et qu'il devait me préparer l'argent que je lui avais prêté.

Tous les jours il me téléphonait pour me raconter une histoire à dormir debout : son frère était décédé dans une autre ville, il fallait qu'il aille organiser ses funérailles. Sa fille avait eu un accident et s'était fracturé le fémur. Son chien avait une infection…

Têtue comme je l'étais, je m'étais rendue à la mairie de Naples me renseigner sur lui. Personne ne le connaissait.

Au bout de quelques jours, j'avais compris que j'avais affaire à un réel mafieux.

Il voulait absolument savoir dans quel hôtel nous logions.
J'ai eu peur qu'il me fasse un sale coup et que je me trouve impliquée dans une histoire de mafia.

C'était peut-être mon imagination fertile qui me jouait des tours.
Mais, en tout état de cause, j'avais renoncé à mon argent.
Je l'avais bloqué sur Facebook et sur mon téléphone.
Il avait essayé de me recontacter sur d'autres réseaux sociaux, mais je n'ai plus jamais répondu à ses messages.

Comme on dit : Jamais deux sans trois.
La troisième fois, je n'ai pas perdu de l'argent, mais une personne m'avait bernée pendant quelques jours me faisant croire qu'elle était une autre personne.
Parfois, je me demande quelles sont les motivations qui poussent des personnes à utiliser de faux profils et à vouloir vivre des histoires virtuelles avec une fausse identité.
Certes il s'agit d'un trouble identitaire, mais l'origine est bien plus grave.
Il y a de cela quelques mois, j'avais reçu une invitation d'un turc qui avait une très belle allure. Il s'appelait Emin M.
Étant ouverte d'esprit et aimant les échanges culturels avec des personnes du monde entier, je l'avais accepté.
Les photos partagées sur son profil dévoilaient un homme d'affaires d'une soixantaine d'années, d'une élégance irréprochable, toujours souriant, donnant parfois des interviews à des journalistes…
Il paraissait connu dans son pays. Il prétendait être veuf, père d'une fille de quinze ans et vivre à Manchester en Angleterre.

Prétendant qu'il souffrait de la solitude après le décès de son épouse d'un cancer du sein, sa mère est décédée à Ankara de la Covid-19 et son frère décédé suite à un accident de la circulation, il s'est retrouvé seul et avait besoin de se remarier pour combler ce vide et également trouver une belle-mère gentille et affectueuse pour l'aider à prendre soin de sa fille.

Tout cela paraissait plausible. Je l'ai écouté avec empathie.

Il était très respectueux dans ses écrits. L'écouter et lui remonter le moral ne me dérangeait pas. De plus, il parlait anglais, ça me permettait de pratiquer cette langue et de dépoussiérer mon vocabulaire.

J'avoue que j'usais de Google traducteur pour corriger mes erreurs. Après plusieurs échanges, il m'avait demandé mon numéro de téléphone pour converser sur WhatsApp. J'avais accepté.

Tous les jours, je recevais de gentils messages avec de belles images de fleurs ou de beaux paysages pour me souhaiter une belle journée ou une belle nuit.

Poussant ma curiosité un peu loin, j'ai utilisé l'application Truecaller pour vérifier d'où venaient ses appels.

La puce téléphonique utilisée était de San Francisco dans l'État de Californie aux USA. Je trouvais cela bizarre. Je lui en ai fait part, il a répondu que c'est une puce téléphonique professionnelle qu'il utilisait dans le monde entier.

Je voulais pousser ma curiosité plus loin. J'avais vérifié au peigne fin son profil sur Facebook. Il n'y avait que trois personnes qui likaient toujours ses photos et commentaires. Ces personnes sont d'origine somalienne.

Il n'y avait aucun signe d'amis ou membres de sa famille d'origine turque ou habitant en Angleterre.

D'après ses propos, il voulait venir au Maroc et investir dans une usine de production de meubles et ouvrir un grand magasin de ses articles.

Connaissant bien ce domaine d'activité, je trouvais ce projet intéressant. Avec mon expérience de 20 ans dans ce domaine, j'aurais pu l'aider pour le démarrage. Cependant, ma forte intuition me soufflait que tous ses propos étaient mensongers. Poussant ma curiosité plus loin, j'ai exigé de lui de discuter par caméra pour m'assurer réellement de son identité. Il m'a proposé d'utiliser une autre application Viber.

Ça ne me dérangeait pas. Il m'a appelée. Je le voyais, mais l'image tremblait et le son était brouillé.

J'étais un peu surprise. J'ai donc décidé de le laisser parler et de lire entre ses lèvres ce qu'il disait pour mieux comprendre.

Or les mots ne collaient pas. Ce que cette personne disait était dans une autre langue et les propos que j'écoutais étaient en anglais.

Il y avait une forte discordance dans le langage verbal et le langage para verbal.

On aurait pensé que sur l'écran était projetée une vidéo sans le son et qu'une personne parlait à côté.

Je déteste qu'on insulte mon intelligence.

J'ai donc été sur Instagram chercher le compte de ce monsieur pour y relever d'autres informations.

En tapant le nom et prénom communiqués : Emin M., j'ai trouvé un compte avec une photo de profil différente des photos publiées sur le compte de Facebook.

Ce profil affichait également une autre photo avec deux personnes.

En commentaire étaient identifiés deux noms : Emin M. et Mustafa A.

J'ai copié ce deuxième nom et je l'ai cherché sur Google. A ma grande surprise, toutes les photos publiées sur le profil Facebook étaient de cet homme j'ai trouvé que ce nom correspondait aux photos envoyées.

Donc, l'utilisateur utilisait, pour entrer en contact avec des femmes, les photos d'un personnage public du nom de Mustafa A, connu en Turquie.

Quel était le but recherché ? Quelles étaient ses intentions ?

Je n'en sais rien.

Je lui ai envoyé un message sur WhatsApp en lui affichant la capture d'écran de la page trouvée par le moteur de recherches de Google.

Je l'ai ensuite bloqué sur tous les réseaux sociaux.

Il a essayé de me recontacter sous d'autres profils, mais je devinais toujours que c'était lui qui se cachait derrière ces faux profils.

Depuis ces trois histoires, je me suis promis de devenir plus vigilante et de ne plus me faire avoir.

J'ai commencé à détecter les faux profils.

Dès que je recevais une invitation, je faisais d'abord mon enquête avant de lui donner suite :

Qui était cette personne ?
Combien d'amis avons-nous en commun ?
Est-elle célibataire ? mariée ? en couple ou en situation compliquée ?
A-t-elle des enfants ?
Quelle était sa profession ?
Était-elle sur Google ?
Si oui, je vérifiais les photos et la biographie avec les données reportées sur le profil.

C'était un travail minutieux qui n'avait rien à envier aux enquêtes judiciaires des agents de la CIA et du FBI dans la série des Experts de Miami.

Je continue toujours d'être approchée par de faux profils.

J'ai commencé à me poser tellement d'interrogations qui pouvaient me rassurer si je devais donner suite à ces invitations ou les ignorer tout simplement.

Certains lecteurs vont sûrement se poser la question, pourquoi dois-je accepter des personnes que je ne connais pas dans la vie réelle ?

Au fait, aussi bien pour mes activités professionnelles qu'associatives, je devais accepter des personnes qui m'envoyaient des invitations pour me faire connaître dans mon métier de Coach - consultante et pour communiquer sur les événements que j'organisais soit sur le plan professionnel ou sur le plan associatif.

Je suis une personne empathique. J'apprécie les échanges intellectuels et m'ouvrir aux gens et au monde ne pouvait que me nourrir intellectuellement.

Développer mon réseau faisait partie de ma stratégie de communication digitale.

Aujourd'hui, je compte parmi mes contacts sur Facebook environ 3400 personnes et sur LinkedIn au moins 1800 personnes.

Parmi ces personnes, j'en connais au moins la moitié réellement. Elles sont soit de la famille, soit de mon association internationale, soit de l'association des femmes chefs d'entreprises, soit de mon association de chant arabe, soit des confrères et consœurs…

Par ailleurs, j'avoue aussi qu'étant une femme ouverte d'esprit et ayant quelques atouts, je fus approchée par plusieurs hommes qui cherchaient à entretenir une relation amicale, voire amoureuse, avec moi.

Les profils étaient différents. Et étant d'une grande curiosité, je m'amusais toujours à trouver l'étiquette qui correspond le plus à chacun d'entre eux.

Ça n'a rien d'un jugement professionnel. Mais je les rangeais, l'air amusé, dans des cases pour admirer l'œuvre complexe de Dieu et observer la fragilité des êtres humains qui pouvait se manifester sous toutes les formes :

Il y a les dépressifs qui te sapent le moral.

Il y a les célibataires chômeurs qui cherchent une femme mature pour les entretenir.

Il y a les mégalomanes qui savent tout et par conséquent, n'ont rien à apprendre de nous.

Il y a ceux qui cherchent un emploi et qui vantent leur mérite pour les recommander à nos connaissances.

Il y a ceux qui souffrent du complexe d'œdipe.

Il y a ceux qui cherchent un coach de vie bénévole.

Il y a les libertins.

Il y a les pervers sexuels.

Il y a les révoltés politiques.

Il y a les frustrés.

Il y a les athées.

Il y a les islamistes.

Il y a les moralisateurs.

Il y a les artistes.

Il y a les psychopathes.

Il y a les agressifs.

Il y a les escrocs.

Il y a aussi les voyants et voyantes qui t'envoient un message pour prétendre qu'ils vont t'aider à te débarrasser de tes mauvais sorts.

Il y a les commerçants qui ont toujours quelque chose à te vendre.

Etc.

Dans toutes ces catégories, nous trouvons souvent des hommes mariés.

Ce qui est intéressant dans cette catégorie, c'est qu'ils avancent toujours les mêmes arguments. On finit par croire qu'ils ont tous été à la même école.

Parmi ces arguments, viennent en tête ceux-ci :

- Ma femme et moi sommes en instance de divorce.

- Nous sommes séparés, nous faisons chambre à part, mais nous restons mariés pour les enfants.

- Si je m'entends bien avec toi, je demande le divorce et je t'épouse.

- Ma femme est malade, je ne peux pas l'abandonner, mais j'ai le droit de vivre ma vie.

- Nous avons des crédits en commun. Nous attendons de les régler.

- Nous avons des problèmes à trouver un arrangement en ce qui concerne nos biens achetés en commun.

-J'ai fait une donation de mes biens à ma femme et aux enfants. Je suis un homme libre, mais fauché.

-Nous ne pouvons pas divorcer, car nos familles sont associées dans des projets. Etc.

Si j'ai pris la peine de consacrer tout un chapitre aux diverses rencontres des réseaux sociaux, c'est uniquement pour vous conseiller de rester vigilants et de vous méfier des faux profils et des escrocs.

J'entends par escrocs même les hommes qui racontent les mêmes propos à plusieurs femmes à la fois. À mon sens, l'escroquerie sentimentale est aussi dommageable que l'escroquerie financière.

Cette bataille m'avait inspirée pour écrire un petit poème que je partage avec vous :

Le monde virtuel : ce cirque époustouflant !

« Le monde virtuel est un cirque divertissant,
avec divers spectacles ahurissants.

Il y a des personnes qui te fond fendre le cœur,
et d'autres, qui par leurs comportements t'écœurent.

Il y a des personnes qui te remontent frénétiquement le moral,
et d'autres qui éprouvent du plaisir à te faire du mal.

Il y a des personnes qui te font sourire et rire,
et d'autres qui te donnent envie de mourir.

Il y a des personnes qui font preuve d'une belle empathie,
et d'autres qui te répugnent par leur grande antipathie.

Il y a des personnes qui te font vibrer par leur optimisme,
Et d'autres qui te dépriment par leur pessimisme.

Il y'a des personnes qui te donnent tant d'espoirs,
Et d'autres qui ne partagent que leurs déboires.

248

Il y a des personnes qui sont si complexes,
et d'autres qui semblent dénuées de cortex.

Il y a des personnes qui croquent pleinement dans la vie,
et d'autres dont tous les plaisirs sont vainement inassouvis.

Il y a des personnes constamment en quête de gratifications,
et d'autres qui sadiquement optent pour l'humiliation.

Il y a des personnes en perpétuelle quête de résilience,
et d'autres souffrant indéfiniment de malveillance.

Il y a des personnes qui pour le matériel ont une attirance,
et d'autres ne donnant aucune importance aux apparences.

Il y a des personnes dotées d'une grande patience,
et d'autres agissant machinalement sans aucune conscience.

Il y a des personnes qui se donnent à fond dans le bénévolat,
et d'autres avares pour dire un simple "Holà".

Il y a des personnes qui savent qu'elles ne peuvent acheter votre âme,
Et d'autres qui ne font aucun discernement entre filles de joie et
grandes dames.

Il y a des personnes capables de vous offrir inconditionnellement leur
vie, et d'autres, sans scrupules, vous dépouilleraient de vos sources de
survie.

Il y a des personnes qui vous offrent inconditionnellement de l'amour ;
et d'autres qui en toute gourmandise, vous savoureraient tel un petit-
four.

Il y a des personnes qui prônent avec dévouement la paix, et d'autres
qui sèment aisément la zizanie sans respect.

Il y a des personnes qui œuvrent spontanément dans la transparence,
et d'autres de principes et de valeurs sont en grande carence.

Il y a des personnes qu'on aimerait aimer inlassablement,
et d'autres qu'on souhaiterait rayer de notre vie définitivement.

Il y a des personnes positives, sources d'inspiration,
et d'autres personnes compliquées, sources d'aliénation.

Eh oui, il faut du tout pour faire ce grand monde,
des personnes saines et bienveillantes et d'autres immondes.

Armons-nous donc de patience et de persévérance,
Pour communiquer avec ces gens en perpétuelle errance.

Le monde virtuel est une reproduction miniaturisée
De notre monde réel et caricaturisé. »

Chapitre 16
Ma bataille pour me détacher de mon ego

L'ego, c'est la conscience et la représentation que j'ai de moi-même en tant que personne.

Il s'agit donc de mon « Moi ». C'est une construction de ma personnalité indépendamment de mon univers.

J'ai toujours eu une belle estime de moi-même. Je n'ai jamais eu un ego démesuré et je ne me suis jamais sous-estimée.

Lorsque je sentais que je perdais confiance en moi ou en mes capacités intellectuelles, professionnelles ou personnelles, j'effectuais un travail sur moi pour rectifier le tir et gagner en confiance.

J'avoue en toute humilité et sincérité que suite à mes divorces et à mes déceptions amoureuses, je me suis sentie fragile et mon ego se sentait blessé.

Mon estime de moi-même fluctuait parfois en fonction des circonstances par lesquelles je passais, de la pression et des pensées des autres et également en fonction de ma sensibilité.

Parfois, je me sentais vulnérable ou abattue, donc mon estime de moi-même devait être boostée.

Avec mes yoyos sur le plan pondéral, j'avoue que je ne me plaisais pas et que je gagnais en confiance lorsque je perdais du poids.

Le regard et les remarques des autres venaient renflouer mon ego et redorer ma confiance en moi.

Par ailleurs, lorsqu'il m'arrivait d'être en conflit avec une personne, je me suis toujours sentie co-responsable dans ce conflit soit par mon implication soit par ma négligence.

Il s'agissait d'une interaction entre nous deux.

Et comme on dit, à toute action, une réaction.

J'essayais de me détacher de mon ego pour prendre du recul et juger la situation en situation méta comme si j'avais une vision panoramique de la situation afin de mieux juger mon degré de responsabilité et surtout de revenir avec des solutions concrètes.

Cependant, mon orgueil, ma fierté, mes principes parfois rigides et ma naïveté m'ont parfois obligée à me positionner en victime et à me plaindre.

J'en suis consciente aujourd'hui.

Et je tiens à m'en excuser vivement auprès de ma sœur Wafaa, de ma belle-sœur Salwa, de mon amie Amina, de mon amie Nadia... Je devais les épuiser avec mes lamentations et les vider de leur énergie.

Ainsi, par rapport à toutes les péripéties par lesquelles je suis passée aussi bien sur le plan affectif que conjugal que professionnel que financier, je reconnais avec du recul que j'ai ma part de responsabilité.

J'aurais pu être plus ferme et plus vigilante dans certaines situations et ne pas me laisser manipuler facilement.

Prendre conscience aujourd'hui ne signifie nullement que j'ai des regrets et des remords.

Mais cela m'invite à être plus flexible, plus vigilante et plus à l'écoute de mes propres besoins psychologiques.

Cette prise de conscience m'a permis de mettre parfois mon ego de côté et de mieux apprécier certaines situations et de mesurer mon degré de responsabilité dans les conflits qui m'ont opposée aux autres.

Cette diversité dans mes perceptions me démontre aujourd'hui que le monde est bien complexe et que nous percevons les situations d'une manière différente en fonction de notre sensibilité de l'instant, en fonction de notre degré de maturité, en fonction de notre âge…

Aujourd'hui, je ne cherche plus à séduire pour me faire aimer.
Ceux qui m'aiment voient ma beauté intérieure avant de s'intéresser à mes aspects esthétiques externes.

Bien que je sois empathique selon mon profil de personnalité, je ne fais plus plaisir aux autres pour me faire aimer. Je le fais lorsque cela me fait également plaisir, lorsque je dispose de temps libre et que cela ne m'exige pas des efforts colossaux.
Lorsque je ne peux pas rendre un service, j'ai appris à dire « Non » sans devoir me justifier.
Devenir assertive était mon objectif primordial. Je l'ai atteint avec un travail important sur moi.
Ceux qui m'aiment doivent aussi penser à ce qui me fait aussi plaisir.

Je ne cherche plus à briller sur le plan intellectuel pour démontrer mes compétences ni étaler mes connaissances.
Celles-ci sont déjà connues, reconnues et sollicitées par ceux auxquels j'ai eu affaire.

Et en dernier, j'ai appris à ne plus me plaindre pour chercher le soutien des autres.
J'ai trouvé un excellent allié et confident : Dieu.
Je me plains, d'ores et déjà, à lui et je demande réparation à lui.

Il est le seul à pouvoir prendre ma revanche sur ceux qui me nuisent.

Même si mes problèmes sont grands, il en est beaucoup plus grand.

Même si je suis incapable de trouver des solutions, il en est capable.

Même si je me sens parfois faible, il est fort et puissant.

Je ne suis plus dépendante sur le plan affectif de quiconque.

Même pas de mes propres enfants.

J'ai compris que j'ai accompli mon rôle de mère avec amour et dévouement et que je devais les laisser voler de leurs propres ailes.

Qu'ils fassent leurs choix et qu'ils vivent leurs propres expériences.

S'ils ont besoin de mes conseils, je leur donnerai volontiers. Le cas échéant, je ne leur impose rien du tout. Ils sont devenus adultes et sont en âge de penser, choisir, décider et assumer leurs responsabilités...

Et comme disait Khalil Gibran dans son livre le prophète : « Vos enfants ne sont pas vos enfants. Ils sont les fils et les filles de l'appel de la Vie à elle-même, ils viennent à travers vous, mais non de vous. Et bien qu'ils soient avec vous, ils ne vous appartiennent pas. Vous pouvez leur donner votre amour, mais non point vos pensées, car ils ont leurs propres pensées. Vous pouvez accueillir leurs corps, mais pas leurs âmes, car leurs âmes habitent la maison de demain, que vous ne pouvez visiter, pas même dans vos rêves. Vous pouvez vous efforcer d'être comme eux, mais ne tentez pas de les faire comme vous. Car la vie ne va pas en arrière ni ne s'attarde avec hier. Vous êtes les arcs par qui vos enfants, comme des flèches vivantes, sont projetés. L'Archer voit le but sur le chemin de l'infini, et Il vous tend de Sa puissance pour que Ses flèches puissent voler vite et loin. Que votre tension par la main de l'Archer soit pour la joie ; Car de même qu'Il aime la flèche qui vole, Il aime l'arc qui est stable. »

Je ne suis plus dans l'exubérance. La spiritualité m'a appris à savourer les choses les plus simples. Je suis heureuse avec des habits confortables et légers. Je suis rassasiée avec des aliments simples sans me goinfrer avec des plats riches et nourrissants.

D'ailleurs, je mange de moins en moins les viandes rouges.

Je préfère les poissons, légumes et fruits.

Je ne mange plus de plats industriels, ni de gâteaux, ni de confiserie.

Je suis devenue focalisée sur l'authenticité et la congruence.

Je ne porte plus de masque.

Ceux qui m'aiment devront m'aimer sans artifices.

J'ai gagné cette bataille. Je suis soulagée que ma conscience m'ait permis de m'élever ainsi et de rechercher des atouts authentiques pour briller et transmettre mes ondes positives autour de moi.

Je suis arrivée au point d'aimer toutes les personnes autour de moi d'un amour inconditionnel.

Je prie lors de mes prières pour le bien-être de toutes les personnes que j'ai côtoyées, qui m'ont fait aussi du mal, qui m'ont blessée, qui m'ont causé des préjudices.

Je leur souhaite tout le bonheur du monde et je leur pardonne leurs actes dictés par les entités sataniques.

Je prie d'ailleurs pour toute l'humanité.

Dieu est miséricordieux.

Je souhaite développer le Pardon pour vivre dans la plénitude et la paix.

Se nourrir de la haine, de la jalousie, du narcissisme, du nihilisme, de l'égocentrisme nous recentre sur notre ego.

Par ailleurs, en pratiquant la méditation, la relaxation et la bonne respiration et en écoutant des musiques subliminales avec des fréquences de l'amour et de l'abondance, je suis arrivée à élever ma conscience tout en me détachant de mon ego.

Plus, je me détache des aspects physiques de la vie et plus je me sens en harmonie avec mon âme et avec l'univers qui m'entoure.

La solitude m'y a aidée. Le retrait de la société mondaine m'a permis de gagner en conscience et de m'élever au-delà du monde matériel.

Chapitre 17
Ma belle bataille : la quête du sens

Ne vous arrive-t-il pas de ressentir le sentiment de ne plus avoir de mission spécifique à accomplir ?

Ne vous arrive-t-il pas de ressentir une sensation de vide en vous ?

Ne ressentez-vous pas de temps en temps cette envie de vous laisser vivre et mourir à la fois ?

Ne vous arrive-t-il pas de vous laisser vous enfoncer dans votre léthargie en vous sentant libre de tout engagement ?

Cela peut vous arriver après un épuisement physique et/ou psychique.

Cela ne signifie pas que vous êtes dépressif, mais signifie tout simplement que vous devez vous connecter à vous-même, définir vos besoins, revoir vos rêves et surtout trouver un sens à votre vie.

Si une sensation pareille vous prend, c'est que vous avez besoin d'une bonne motivation afin de sortir de votre torpeur et de remonter la pente.

Comment faire alors pour retrouver cette vitalité et faire le plein de cette énergie positive dynamisante ?

Il y a quelque temps, j'étais dans cet état et j'ai enfin su comment procéder pour remonter la pente et gagner en énergie vitale.

La première chose à faire est de prendre le temps de respirer profondément en prenant de longues inspirations par le nez et en expirant par la bouche après avoir bien gonflé vos poumons d'oxygène.

Votre sang oxygéné se chargera de bien irriguer vos organes et de vous donner l'envie de vivre.

En respirant, essayez de fermer les yeux et de vider votre cerveau de toute source de stress, de toutes les pensées négatives, de toutes les pensées freinantes…

Faites le vide en continuant de respirer profondément.

Relaxez-vous, et une fois votre corps et votre cerveau complètement relaxés, commencez par recenser toutes les choses magnifiques obtenues durant votre vie sans aucun effort de votre part :

- Une bonne santé physique avec une bonne vision afin d'admirer toutes les merveilles qui vous entourent, une bonne ouïe afin d'entendre tous les bruits, les sons, les musiques… un bon odorat pour sentir les bonnes odeurs et chasser les mauvaises, un palais pour se délecter des bonnes saveurs et un bon toucher qui nous permet de palper, toucher, caresser, ressentir avec son sens kinesthésique des choses, des êtres vivants.

Vous avez également eu le privilège d'avoir un corps, des mains et des jambes, des organes, un visage, des cheveux…

Pensez à chaque membre qui vous a été utile durant votre vie, pensez à vos organes vitaux qui vous ont permis de vivre sans soucis de santé, pensez à votre cerveau qui vous a permis de réaliser des études et des projets.

- Une bonne santé psychique ; tant que vous raisonnez, vous méditez, vous créez, vous écrivez, vous dormez, vous vous réveillez, vous riez, vous avez des souvenirs, vous avez une bonne mémoire, vous savez donner des ordres à votre corps grâce à votre cerveau ; un seul mot doit vous animer : la gratitude.

- Un cercle familial important qui vous entoure, qui vous apporte amour, affection, tendresse et soutien.

- Un cercle amical important qui est présent pour le meilleur et le pire, qui égaye vos jours, qui vous apporte soutien, amitié, convivialité et bonheur à partager.

- Une activité professionnelle durable ou temporaire, une source de revenus, une source d'épanouissement, une source d'équilibre psychique et de bien-être personnel.

Il se peut que vous ayez un manque dans certaines de vos capacités physiques ou sensorielles, ou psychiques ou matérielles, mais vous avez l'opportunité grâce à votre volonté et à votre persévérance de développer d'autres capacités pour compenser ce manque.

Essayez de recenser également toutes les belles réalisations de votre vie : des études, des diplômes, des jobs intéressants, un bon mariage, des enfants, des acquisitions… etc.

Essayez de vous remémorer aussi les plus beaux moments de votre vie : ils doivent être nombreux.

Essayez de vous rappeler les plus grands fous rires vécus dans votre vie : il y'en a sûrement quelques-uns qui vous ont marqués.

Essayez de vous rappeler les détails des magnifiques choses vécues : des odeurs, des saveurs, des plats succulents dégustés, des étreintes, des moments d'extase… etc.

Grâce à toutes ces pensées positives, vous êtes prêts à construire une base solide à votre motivation pour booster votre courage et votre bonne volonté.

La visualisation positive sera essentielle pour vous permettre d'imaginer des états de bien-être et des sensations agréables.

Le cerveau ne faisant pas la différence entre un état réel et un état imaginaire libérera des endorphines, de la sérotonine et de la dopamine.

Pensez alors à vos hobbies :

Qu'aimez-vous faire ?

Que savez-vous faire ?
Que ce soit le chant, ou la danse, ou la peinture, ou l'écriture, ou la musique, ou le sport ou la prière ou la lecture, ou la cuisine, ou la pâtisserie, ou la couture, ou la broderie, ou le ménage ou le bricolage ou le jardinage… Faites ce qui vous passionne.

Ce genre d'activités entreprises avec passion vous remontera le moral, vous détendra, vous fera voir la vie en rose et générera une bonne énergie positive en vous et autour de vous.
À travers vos créations, répandez l'amour, la joie, la fraîcheur, la beauté… plutôt que la colère, la tristesse, la rancœur, la haine… Ainsi, vos créations seront aussi bénéfiques pour vous que pour ceux qui les regardent.

Pensez aux autres réalisations que vous pouvez faire dans un cadre associatif ou à travers une tierce personne.

Si vous avez des enfants, vous goûterez sans aucun doute au bonheur de jouer et de vous occuper de vos petits-enfants.

Si vous avez des parents, goûtez au bonheur de les rendre heureux.

Si vous aimez votre religion, goûtez au plaisir de la prière, des invocations et des regroupements spirituels.

Mais dans toute cette trajectoire, n'oubliez jamais quel est le sens que vous souhaitez donner à votre vie, car ce sera votre boussole pour arriver à destination de vos rêves.

J'ai suivi moi-même toutes ces bonnes résolutions pour retrouver le sens de ma vie.

Je me sens humble, heureuse et fière de moi et de mes réalisations.

Je suis devenue grand-mère d'un garçon que je garde trois fois par semaine.

Vous ne pouvez imaginer le bonheur que ce petit-fils m'apporte.

Il me replonge dans les plaisirs de la maternité, de l'amour inconditionnel et du don de soi.

Il m'apprend à nouveau le vrai sens de l'amour inconditionnel.

Je me rends compte, grâce à lui, que ma mission sur terre n'est toujours pas terminée et que j'ai encore de belles choses à réaliser pour lui et pour les autres.

Tant que ma santé physique et psychique me le permettra, je continuerai mon cheminement vers cette quête du Sens.

J'essaie d'inviter également toutes les personnes de mon entourage et les participants à mes séminaires d'œuvrer pour découvrir le sens de leur vie et de mieux comprendre la mission de vie qui leur a été confiée. Nous ne sommes pas venus sur terre par hasard : chacun de nous a une mission qu'il doit assurer avec le sens des responsabilités et le sens de l'engagement.

Conclusion

J'ai toujours assimilé la vie à un long train qui effectue un voyage, parfois long, parfois court, avec plusieurs passagers à bord.

Parfois, nous nous trouvons par hasard avec des personnes sympathiques, dans le même compartiment.

Parfois, nous nous trouvons malheureusement en compagnie de personnes désagréables que nous devons supporter le long de notre itinéraire.

Et parfois, nous nous retrouvons seuls dans notre compartiment avec nos pensées positives ou négatives et avec nos bons et mauvais souvenirs jusqu'à notre arrivée à destination.

Il se peut parfois qu'un passager agréable se trouve dans l'obligation de nous quitter par force majeure soit parce qu'il est arrivé à sa destination soit parce que les circonstances l'obligent à écourter son voyage et à descendre à la prochaine escale.

On en est triste, mais ainsi est faite la vie. Il y a des rencontres qui nous marquent à vie et d'autres qu'on souhaiterait ne jamais avoir faites tellement elles ont été marquées par de mauvais souvenirs.

L'idéal, ce n'est pas la destination finale de notre voyage, mais plutôt notre enrichissement grâce à ces multiples rencontres et aussi grâce aux divers paysages que nous apprécions au fur et à mesure de l'avancement de notre train.

Il se peut que lors d'un seul voyage, qu'on sillonne, des villes côtières, des campagnes florissantes et verdoyantes, de beaux champs de blés, de belles forêts, de belles dunes, de belles montagnes enneigées... etc.

Il se peut qu'on vive en un seul voyage, en compagnie des mêmes personnes, ou de personnes différentes, les quatre saisons : un beau soleil éblouissant et une brise matinale rappelant l'été, un ciel bleu parsemé de beaux cumulus valsant au rythme des chants d'oiseaux venus de divers horizons rappelant le printemps, une forêt ornée de feuillage ocre et rouille rappelant l'automne et un froid glacial rappelant l'hiver.

Cette succession de saisons et ce cycle itératif « jour-nuit » durant notre voyage, ne sont que des métaphores des événements que nous vivons dans notre quotidien et qui sont parfois porteurs de joies et parfois porteurs de tristesses.

Alors, peu importe notre destination finale, profitons de ce beau et long voyage que nous effectuons grâce à la volonté divine, profitons des paysages que nous offre notre sacrée nature, profitons des précieuses rencontres que nous avons la chance de faire et quelles qu'elles soient, elles ne peuvent qu'être qu'apprenantes et modélisantes.

Ne nous posons pas de questions sur la durée de notre voyage, mais essayons de rendre celui-ci inoubliable aussi bien pour nous que pour ceux qui auront eu le privilège de nous avoir rencontrés.
Notre voyage est unique.
Il est fantastique.

C'est une réelle expédition dans l'inconnu. Faisons confiance en notre destin et en notre destinée. Faisons confiance en notre Dieu et en notre providence.

Faisons confiance aussi en notre intuition.

Faites un beau voyage mes amis et sachez que là où vous irez, vous ne serez jamais seuls, car Dieu vous accompagne éternellement.

Ainsi fut ma vie, un très beau voyage avec parfois des turbulences, avec des rencontres enrichissantes, avec des petits et de grands soucis et surtout avec des éclaircissements et des bouffées d'oxygènes salvatrices.

Les personnes qui croient en la réincarnation de l'âme pensent que celle-ci choisit sa famille avant de se réincarner.

Si mon âme s'est réincarnée sur terre, je suis heureuse d'avoir choisi mes parents qui furent les meilleurs parents du monde. Je suis réellement chanceuse d'avoir eu mes frères, sœurs, belles-sœurs et beaux-frères qui furent toujours à mes côtés pour m'accompagner durant ce magnifique périple.

Mes batailles menées furent un réel divertissement qui m'a toujours poussée à explorer mes ressources intérieures ainsi que mes limites.

J'ai eu beaucoup d'amour et de compassion pour toutes les personnes que j'ai rencontrées dans ce long voyage.

À ceux qui m'ont blessée ou manqué de respect, je leur accorde mon pardon. L'être humain n'est qu'une marionnette entre les mains des êtres de lumières et les forces du mal. Parfois, les forces du mal l'emportent et souvent les êtres de lumières gagnent et orientent l'être humain vers le bien.

Mon souhait le plus ardent est d'aider mes frères et sœurs dans cet univers si complexe, à suivre ces êtres de lumière et à n'accomplir que des actions bénéfiques pour eux et pour la communauté en général.

Je suis actuellement en formation en thérapie énergétique, je ferai de mon mieux pour envoyer une belle énergie à toutes les créatures de l'univers. Je souhaiterais, si Dieu me le permet, pouvoir prodiguer des soins autour de moi à toutes les personnes qui souffrent de problèmes physiques, organiques ou psychiques.

Je vous en tiendrai compte lors de mon prochain livre en espérant que celui-ci vous touche émotionnellement et suscite votre intérêt.

J'ai aujourd'hui cinquante-sept années. Je compte bien vivre de nouvelles aventures personnelles, professionnelles et associatives.

Je compte bien développer mes divers talents de chanteuse, d'artiste peintre et d'écrivaine.

Je compte aussi profiter pleinement de mon statut de grand-mère et de faire vivre à mes enfants d'excellents moments dans l'amour et la tendresse.

Je compte bien développer ma spiritualité et élever mon taux vibratoire pour être en harmonie avec l'univers.

Amine, mon fils, terminera ses études vers la fin de l'année 2022. Je pourrais enfin souffler et reprendre ma vie en main. En devenant autonome financièrement en cherchant un emploi après l'obtention de son master 2 en management du sport et en marketing digital, je réussirais enfin à faire des économies et à m'accorder des moments de plaisir pour moi.

Je compte bien faire de beaux voyages à l'étranger et m'ouvrir au monde.

Je compte bien m'inscrire dans des formations intéressantes à l'étranger.

Je compte bien m'offrir de belles vacances bien méritées.

Xéna la guerrière a droit au repos du corps, de l'esprit et de l'âme.

Mon train ne s'est pas encore arrêté et mon voyage n'est toujours pas fini.

D'autres destinations m'attendent sans aucun doute et d'autres batailles aussi.

J'espère que je n'aurai pas à mener des batailles contre la maladie.

J'espère bénéficier de mes capacités physiques, sensorielles, psychiques jusqu'à mon dernier souffle sur terre.

Je vous raconterai volontiers les détails relatifs à mes prochaines destinations.

Imprimé en Allemagne
Achevé d'imprimer en octobre 2022
Dépôt légal : octobre 2022

Pour

Le Lys Bleu Éditions
40, rue du Louvre
75001 Paris